법정스님은...
참 훌륭한 분이셨는데.
무소유 ~ 참 힘들지만 좋은 단어인 듯!
2002. 12. 京娥

무소유

무소유

법정

범우사

우리는 필요에 의해서 물건을 갖지만, 때로는 그 물건 때문에
마음이 쓰이게 된다. 따라서 무엇인가를 갖는다는 것은 다른 한편
무엇인가에 얽매이는 것. 그러므로 많이 갖고 있다는 것은
그만큼 많이 얽혀 있다는 뜻이다.   — 본문 중에서

차 례

복원 불국사

한낮의 기온에는 아랑곳없이 초가을의 입김이 서서히 번지고 있는 요즈음. 이른 아침 우물가에 가면 성급한 낙엽들이 흥건히 누워 있다. 가지 끝에 서성거리는 안개의 무게를 이기지 못해 져 버린 것인가. 밤 숲을 스쳐가는 소나기 소리를 잠결에 자주 듣는다. 여름날에 못 다한 열정을 쏟는 모양이다. 비에 씻긴 하늘이 저렇듯 높아졌다. 이제는 두껍고 칙칙하기만 하던 여름철 구름이 아니다.

묵은 병이 불쑥 도지려고 한다. 훌훌 털어 버리고 나서고 싶은 충동이, 어디에도 매인 데 없이 자유로워지고 싶은 그 날개가 펼쳐지려 한다. 이렇게 해서 엊그제 다녀온 곳이 불국사. 새로 복원되었다는 불국사다.

가을이면 불쑥불쑥 찾아 나서는 경주, 신라 천 년의 꿈이 서린 서라벌. 초행길에도 낯이 설지 않은 그러한 고장이 경주다. 어디를 가나 정겨운 모습들. 이제는 주춧돌마저 묻혀 가는 황룡사, 그 터만 보아도, 그리고 안산인 남산과 좌우로 연해 있는 그 능선만 보아도 마음이 느긋해지고 은은한 향수 같은 걸 호흡할 수 있는 고장이 또한 경주다.

어디나 옛 도읍지에 가면 느끼게 되듯이 경주도 어딘지 텅 빈 것 같은, 뭔가 덜 채워져 아쉬운, 그래서 배 떠난 나루 같은 그런 분위기가 마음을 끈다.

그 중에도 불국사는 허전하고 안타까운 신라 천 년의 잔영殘影을 한아름 지닌 가람이다. 난간이 떨어져 나간 청운교, 백운교의 그 유연한 곡선, 단청빛은 바랬어도 장중한 자하문, 날듯이 깃을 올린 범영루泛影樓. 그리고 앞뜰에서 자하문 좌우로 올려다보이는 석가탑과 다보탑의 공간……

이런 것들이 우리들에게 천 년의 세월을 성큼 뛰어넘게 해 주었다. 그러나 이제 그런 기억들은 온전히 과거 완료형.

복원된 불국사는 그 같은 회고조의 감상을 용납하지 않는다. 가득 들어찼기 때문에 기댈 만한 여백이 없어진 것이다. 무엇보다도 사방에 둘러쳐진 회랑이 과거에 대한 기억을 가로막는다. 그리고 현란한 단청빛이 1973년에 직립해 있는 오늘의 우리를 의식케 한다.

불국사는 지난 4년간에 걸쳐 많은 인력과 재력으로 말짱하게 복원해 놓았다. 돌 한 덩이, 서까래 하나까지도 허투루 하지 않고 모두가 과학적인 고증에 의해 거의 원형대로 복원했다고 한다. 원형대로 복원했다고 하니 지난 천여 년의 허구한 세월이 도리어 무색할 지경이다.

관계 당국과 전문가들의 끈질긴 열과 성의에 경의를 표하지 않을 수 없다. 그러면서도 우리가 서운해 하는 것은, 그렇다, 못내 안타깝고 서운해 하는 것은 이제껏 길들여진 그 불국사가 사라져 버린 일이다. 천 년 묵은 가람의 그 분위기가 어디론지 자취를 감추고 말았다. 복원된 불국사에서는 그윽한 풍경 소리 대신 씩씩하고 우렁찬 새마을 행진곡이 울려퍼지는 것 같았다. 1973

나의 취미는

취미는 사람들의 얼굴만큼이나 다양하다. 그것은 어디까지 나 주관적인 선택에서 이루어진 것이므로 누구도 무어라 탓할 수 없다. 남들이 보기에는 저런 짓을 뭣하러 할까 싶지만, 당사자에게는 그 무엇과도 바꿀 수 없는 절대성을 지니게 된다. 그 절대성이 때로는 맹목적일 수도 있다. 그래서 지나치게 낭비적이요 퇴폐적인 일까지도 취미라는 이름 아래 버젓이 행해지는 수가 있다.

굵직굵직한 자리가 바뀔 때마다 소개되는 면면面面들의 취미를 보면 하나같이 '골프'라고 한다. 언제부터 이 양반들이 이렇게들 '골프'만을 좋아하게 됐을까 싶을 정도다. 우리 같은 현대 속의 미개인은 그 '골프'라는 걸 아직 구경조차 못해 보았지만 그게 좋기는 좋은 모양이다.

아이젠하워 같은 양반도, 만약 이 게임이 없었다면 나는 도
대체 무얼 하면서 시간을 보냈을지 모르겠다고 할 정도였으니
까.

시원스레 다듬어진 드넓은 초원에서 신선한 공기를 마시며
친밀한 사람들과 즐기는 동작은 상상만으로도 상쾌할 것 같
다. 이런 일로 해서 쌓인 스트레스를 풀 수 있고 다음 일을 보
다 탄력있게 수행할 수도 있으리라. 구경꾼들은 한낱 싱거운
장난처럼 볼지 모르지만 거기에 열중한 플레이어들에겐 그야
말로 '골프'일 것이다.

이와 같이 좋기만한 '골프'가 아직도 우리에게 저항감을 주
고 있는 까닭은 어디에 있을까. 더 말할 것도 없이 그것은 우
리 모두가 함께 즐길 수 없는 특수 계층만의 취미요 오락이기
때문이다. 거기에 사용되는 연장들은 모두가 값비싼 외제다.
그러니 외화를 주고 들여온 것들이다. 그리고 '골프' 클럽에
가입하는 데는 보통 월급쟁이로서는 명함도 못 내밀 고액이
든단다. 또한 골프는 초원에서만 끝나는 게 아닌 모양이다. 한
때 항간에 떠돌던 정치와 사업은 집무실에서가 아니라 대개
'골프'를 통해서 익는다는 풍문도 전혀 근거없는 말은 아닐
듯싶다.

모든 일이 그렇듯이 취미다운 취미라면 우선 자기 분수에
알맞는 일이어야 한다. 자기 처지로서는 도저히 같이 어울릴

수 없는데 체면 때문에 마지못해 섞인다거나, 모처럼의 주말을 가족들과 함께 지내고 싶은데 상사의 시야를 의식하고 끌려나가는 일이 있다면, 드넓은 초원과 맑은 공기도 그들에게는 오히려 공해임이 분명하다.

"골프는 인간의 죄를 벌하기 위해 스코틀랜드의 칼비니스트들이 창조해 낸 전염병"이라고 한 말을 상기해 봄직하다.

오늘 우리 현실은 개인의 기본권이라 할지라도 나라의 발전을 위해서라면 가차없이 유보되고 있는 실정이다. 특수 계층만이 즐기는 취미는 사회적 계층 의식을 심화시켜 마침내 국력의 약화를 초래한다는 데 문제가 있다. 이런 현상은 이른바 유신 이념에 부합될 수 없을 것이다. 바람직한 취미라면 나만이 즐기기보다 고결한 인품을 키우고 생의 의미를 깊게 하여, 함께 살아가는 이웃들에게도 긍정적인 영향을 끼칠 수 있는 것이어야 한다.

오늘 나의 취미는 끝없는, 끝없는 인내다. 1973

비독서지절

추석을 지나면서부터 요즘의 날씨는 낮과 밤을 가릴 것 없이 전형적인 가을이다. 이토록 맑고 쾌적한 하늘 아래서 사람인 나는 무엇을 할 수 있을까? 나무 아래서 그저 서성거리기만해도, 누렇게 익어 가는 들녘만 내다보아도 내 핏줄에는 맑디맑은 수액이 돈다.

장미 가시에 손등을 찔려 꼬박 한 달을 고생했다. 내 뜻대로 움직여 주던 손에 탈이 나니 그렇게 불편할 수가 없었다. 독일의 그 릴케를 생각하고 때로는 겁도 났지만, 모든 병이 그러듯이 때가 되면 낫는다. 밀린 옷가지를 이제는 내 손으로 빨수 있게 됐으니 무엇보다 홀가분하다. 오늘처럼 맑게 갠 날은 우물가에 가서 빨래라도 할 일이다. 우리처럼 간단명료하게 사는 '혼자'에게는 이런 일은 일거양득이 된다.

이 쾌청의 날씨에 나는 무슨 일을 할 수 있을까?

벽을 바라보고 좌선을 할 것인가, 먼지 묻어 퀴퀴한 경전을 펼칠 것인가. 그런 짓은 아무래도 궁상스럽다. 그리고 그것은 이토록 맑고 푸르른 가을 날씨에 대한 결례가 될 것이다. 그저 서성거리기만 해도 내 안에서 살이 오르는 소리가 들리는데, 이밖에 무엇을 더 받아들인단 말인가.

가을 하면 독서의 계절을 연상한다는 친구를 만나 어제는 즐겁게 입씨름을 했다. 내 반론인즉 가을은 독서하기에 가장 부적당한 비독서지절非讀書之節이라는 것. 물론 덥지도 춥지도 않은 추야장秋夜長에 책장을 넘기는 그 뜻을 모르는 바 아니지만, 어디 그 길이 종이와 활자로 된 책에만 있을 것인가. 이 좋은 날에 그게 그것인 정보와 지식에서 좀 해방될 수는 없단 말인가. 이런 계절에는 외부의 소리보다 자기 안에서 들리는 그 소리에 귀기울이는 게 제격일 것 같다.

독서의 계절이 따로 있어야 한다는 것부터 이상하다. 얼마나 책하고 인연이 멀면 강조 주간 같은 것을 따로 설정해야 한단 말인가.

독서가 취미라는 학생, 그건 정말 우습다. 노동자나 정치인이나 군인들의 취미가 독서라면 모르지만, 책을 읽고 거기에서 배우는 것이 본업인 학생이 그 독서를 취미쯤으로 여기고 있다니 정말 우스운 일이 아닌가. 하기야 단행본을 내 봐도 기껏해야 1,2천 부밖에 나가지 않는데, 어느 외국 백과사전은 3만 부도 넘게 팔렸다는 게 우리네 독서풍토이긴 하지만.

그렇더라도 나는 이 가을에 몇 권의 책을 읽을 것이다. 술술 읽히는 책 말고, 읽다가 자꾸만 덮어지는 그런 책을 골라 읽을 것이다. 좋은 책이란 물론 거침없이 읽히는 책이다. 그러나 진짜 양서는 읽다가 자꾸 덮이는 책이어야 한다. 한두 구절이 우리에게 많은 생각을 주기 때문이다. 그 구절들을 통해서 나 자신을 읽을 수 있기 때문이다. 이렇듯 양서란 거울 같은 것이어야 한다. 그래서 그 한 권의 책이 때로는 번쩍 내 눈을 뜨게 하고, 안이해지려는 내 일상을 깨우쳐 준다.

그와 같은 책은 지식이나 문자로 쓰여진 게 아니라 우주의 입김 같은 것에 의해 쓰여졌을 것 같다. 그런 책을 읽을 때 우리는 좋은 친구를 만나 즐거울 때처럼 시간 밖에서 온전히 쉴 수 있다. 1973

가을은

가을은 참 이상한 계절이다.

조금 차분해진 마음으로 오던 길을 되돌아볼 때, 푸른 하늘 아래서 시름시름 앓고 있는 나무들을 바라볼 때, 산다는 게 뭘까 하고 문득 혼자서 중얼거릴 때, 나는 새삼스레 착해지려고 한다. 나뭇잎처럼 우리들의 마음도 엷은 우수에 물들어 간다. 가을은 그런 계절인 모양이다.

그래서 집으로 돌아오는 버스 안의 대중가요에도, 속이 빤히 들여다보이는 그런 가사 하나에도 곧잘 귀를 모은다. 오늘 낮 사소한 일로 직장 동료를 서운하게 해준 일이 마음에 걸린다. 지금은 어느 하늘 아래서 무슨 일을 하고 있을까, 멀리 떠나 있는 사람의 안부가 궁금해진다. 깊은 밤 등불 아래서 주소록을 펼쳐 들고 친구들의 눈매를, 그 음성을 기억해낸다. 가을은 그런 계절인 모양이다.

한낮에는 아무리 의젓하고 뻣뻣한 사람이라 할지라도 해가 기운 다음에는 가랑잎 구르는 소리 하나에, 귀뚜라미 우는 소리 하나에도 마음을 여는 연약한 존재임을 새삼스레 알아차린다. 이 시대 이 공기 속에서 보이지 않는 연줄로 맺어져 서로가 믿고 기대면서 살아가는 인간임을 알게 된다. 낮 동안은 바다 위의 섬처럼 저마다 따로따로 떨어져 있던 우리가 귀소歸巢의 시각에는 같은 대지에 뿌리박힌 지체肢體임을 비로소 알아차린다.

상공에서 지상을 내려다볼 때 우리들의 현실은 지나간 과거처럼 보인다. 이삭이 여문 논밭은 황홀한 모자이크. 젖줄 같은 강물이 유연한 가락처럼 굽이굽이 흐른다. 구름이 헐벗은 산자락을 안쓰러운 듯 쓰다듬고 있다.

시골마다 도시마다 크고 작은 길로 이어져 있다. 아득한 태고적 우리 조상들이 첫걸음을 내딛던 바로 그 길을 후손들이 휘적휘적 걸어간다. 그 길을 거쳐 낯선 고장의 소식을 알아오고, 그 길목에서 이웃 마을 처녀와 총각은 눈이 맞는다. 꽃을 한아름 안고 정다운 벗을 찾아가는 것도 그 길이다. 길은 이렇듯 사람과 사람을 맺어 준 탯줄이다.

그 길이 물고 뜯는 싸움의 길이라고는 생각할 수 없다. 사람끼리 흘기고 미워하는 증오의 길이라고도 생각할 수 없다. 뜻이 나와 같지 않다고 해서 짐승처럼 주리를 트는 그런 길이라고는 차마 상상할 수 없다. 우리는 미워하고 싸우기 위해 마주친 원수가 아니라, 서로 의지해 사랑하려고 아득한 옛적부터 찾아서 만난 이웃들이다.

사람이 산다는 게 뭘까?

잡힐 듯하면서도 막막한 물음이다. 우리가 알 수 있는 일은, 태어난 것은 언젠가 한 번은 죽지 않을 수 없다는 사실이다. 생자필멸生者必滅, 회자정리會者定離, 그런 것인 줄 뻔히 알면서도 노상 아쉽고 서운하게 들리는 말이다. 내 차례는 언제 어디서일까 하고 생각하면 순간순간을 아무렇게나 허투루 살고 싶지 않다. 만나는 사람마다 따뜻한 눈길을 보내 주고 싶다. 한 사람 한 사람 그 얼굴을 익혀 두고 싶다. 이 다음 세상 어느 길목에선가 우연히 서로 마주칠 때, 오 아무개 아닌가 하고 정답게 손을 마주 잡을 수 있도록 지금 이 자리에서 익혀 두고 싶다.

이 가을에 나는 모든 이웃들을 사랑해 주고 싶다. 단 한 사람이라도 서운하게 해서는 안 될 것 같다.

가을은 정말 이상한 계절이다. 1973

무소유

"나는 가난한 탁발승이오. 내가 가진 거라고는 물레와 교도소에서 쓰던 밥그릇과 염소젖 한 깡통, 허름한 담요 여섯 장, 수건 그리고 대단치도 않은 평판, 이것뿐이오."

마하트마 간디가 1931년 9월 런던에서 열린 제2차 원탁회의에 참석하기 위해 가던 도중 마르세유 세관원에게 소지품을 펼쳐 보이면서 한 말이다. K. 크리팔라니가 엮은 〈간디 어록〉을 읽다가 이 구절을 보고 나는 몹시 부끄러웠다. 내가 가진 것이 너무 많다고 생각되었기 때문이다. 적어도 지금의 내 분수로는 그렇다.

사실, 이 세상에 처음 태어날 때 나는 아무것도 갖고 오지 않았다. 살 만큼 살다가 이 지상의 적籍에서 사라져 갈 때에도 빈손으로 갈 것이다. 그런데 살다 보니 이것저것 내 몫이 생기게 되었다. 물론 일상에 소용되는 물건들이라고 할 수도 있다. 그러나 없어서는 안 될 정도로 꼭 요긴한 것들만일까? 살펴볼수록 없어도 좋을 만한 것들이 적지 않다.

우리들이 필요에 의해서 물건을 갖게 되지만, 때로는 그 물건 때문에 적잖이 마음이 쓰이게 된다. 그러니까 무엇인가를 갖는다는 것은 다른 한편 무엇인가에 얽매인다는 뜻이다. 필요에 따라 가졌던 것이 도리어 우리를 부자유하게 얽어맨다고 할 때 주객이 전도되어 우리는 가짐을 당하게 된다. 그러므로 많이 갖고 있다는 것은 흔히 자랑거리로 되어 있지만, 그만큼 많이 얽혀 있다는 측면도 동시에 지니고 있다.

나는 지난해 여름까지 난초 두 분을 정성스레, 정말 정성을 다해 길렀었다. 3년 전 거처를 지금의 다래헌茶來軒으로 옮겨 왔을 때 어떤 스님이 우리 방으로 보내 준 것이다. 혼자 사는 거처라 살아 있는 생물이라고는 나하고 그애들뿐이었다. 그애들을 위해 관계 서적을 구해다 읽었고, 그애들의 건강을 위해 하이포넥스인가 하는 비료를 구해 오기도 했었다. 여름철이면 서늘한 그늘을 찾아 자리를 옮겨 주어야 했고, 겨울에는 그 애들을 위해 실내 온도를 내리곤 했다.

이런 정성을 일찍이 부모에게 바쳤더라면 아마 효자 소리를 듣고도 남았을 것이다. 이렇듯 애지중지 가꾼 보람으로 이른 봄이면 은은한 향기와 함께 연둣빛 꽃을 피워 나를 설레게 했고, 잎은 초승달처럼 항시 청청했었다. 우리 다래헌을 찾아온 사람마다 싱싱한 난초를 보고 한결같이 좋아라 했다.

지난해 여름 장마가 갠 어느 날 봉선사로 운허노사耘虛老師를 뵈러 간 일이 있었다. 한낮이 되자 장마에 갇혔던 햇볕이 눈부시게 쏟아져 내리고 앞 개울물 소리에 어울려 숲속에서는 매미들이 있는 대로 목청을 돋구었다.

아차! 이때서야 문득 생각이 난 것이다. 난초를 뜰에 내놓은 채 온 것이다. 모처럼 보인 찬란한 햇볕이 돌연 원망스러워졌다. 뜨거운 햇볕에 늘어져 있을 난초잎이 눈에 아른거려 더 지체할 수가 없었다. 허둥지둥 그 길로 돌아왔다. 아니나다를까, 잎은 축 늘어져 있었다. 안타까워하며 샘물을 길어다 축여 주고 했더니 겨우 고개를 들었다. 하지만 어딘지 생생한 기운이 빠져나간 것 같았다.

나는 이때 온몸으로 그리고 마음 속으로 절절히 느끼게 되었다. 집착이 괴로움인 것을. 그렇다, 나는 난초에게 너무 집념한 것이다. 이 집착에서 벗어나야겠다고 결심했다. 난을 가꾸면서는 산철(승가僧家의 유행기遊行期)에도 나그네 길을 떠나지 못한 채 꼼짝을 못했다. 밖에 볼일이 있어 잠시 방을 비울 때면 환기가 되도록 들창문을 조금 열어놓아야 했고, 분盆을 내놓은 채 나가다가 뒤미처 생각하고는 되돌아와 들여놓고 나간 적도 한두 번이 아니었다. 그것은 정말 지독한 집착이었다.

며칠 후, 난초처럼 말이 없는 친구가 놀러 왔기에 선뜻 그의 품에 분을 안겨 주었다. 비로소 나는 얽매임에서 벗어난 것이다. 날아갈 듯 홀가분한 해방감. 3년 가까이 함께 지낸 '유정有情'을 떠나보냈는데도 서운하고 허전함보다 홀가분한 마음이 앞섰다.

이때부터 나는 하루 한 가지씩 버려야겠다고 스스로 다짐을 했다. 난을 통해 무소유無所有의 의미 같은 걸 터득하게 됐다고나 할까.

인간의 역사는 어떻게 보면 소유사所有史처럼 느껴진다. 보다 많은 자기네 몫을 위해 끊임없이 싸우고 있다. 소유욕에는 한정도 없고 휴일도 없다. 그저 하나라도 더 많이 갖고자 하는 일념으로 출렁거리고 있다. 물건만으로는 성에 차질 않아 사람까지 소유하려 든다. 그 사람이 제 뜻대로 되지 않을 경우는 끔찍한 비극도 불사하면서. 제 정신도 갖지 못한 처지에 남을 가지려 하는 것이다.

소유욕은 이해와 정비례한다. 그것은 개인뿐 아니라 국가간의 관계도 마찬가지다. 어제의 맹방들이 오늘에는 맞서게 되는가 하면, 서로 으르렁대던 나라끼리 친선사절을 교환하는 사례를 우리는 얼마든지 보고 있다. 그것은 오로지 소유에 바탕을 둔 이해관계 때문이다. 만약 인간의 역사가 소유사에서 무소유사로 그 방향을 바꾼다면 어떻게 될까. 아마 싸우는 일은 거의 없을 것이다. 주지 못해 싸운다는 말은 듣지 못했다.

간디는 또 이런 말도 하고 있다.

"내게는 소유가 범죄처럼 생각된다……."

그가 무엇인가를 갖는다면 같은 물건을 갖고자 하는 사람들이 똑같이 가질 수 있을 때 한한다는 것. 그러나 그것은 거의 불가능한 일이므로 자기 소유에 대해서 범죄처럼 자책하지 않을 수 없다는 것이다.

우리들의 소유 관념이 때로는 우리들의 눈을 멀게 한다. 그래서 자기의 분수까지도 돌볼 새 없이 들뜬다. 그러나 우리는 언젠가 한 번은 빈손으로 돌아갈 것이다. 내 이 육신마저 버리고 홀홀히 떠나갈 것이다. 하고 많은 물량일지라도 우리를 어떻게 하지 못할 것이다.

크게 버리는 사람만이 크게 얻을 수 있다는 말이 있다. 물건으로 인해 마음을 상하고 있는 사람들에게는 한번쯤 생각해볼 말씀이다. 아무것도 갖지 않을 때 비로소 온 세상을 갖게 된다는 것은 무소유의 또다른 의미이다. 1971

너무 일찍 나왔군

서울이 몇 해 전부터 눈부시게 발전하고 있는 것은, 밖에서 온 친선사절들의 입을 빌릴 것 없이 우리들 손으로도 만져 볼 수 있다. 지방과는 달리 정치, 경제, 문화 등 모든 힘이 집중 투하되기 때문에 특별시로는 모자라 서울 공화국이란 말이 나올 정도다. 빌어먹더라도 서울로 가야 살 수 있다는 집념으로 인해 서울은 날로 비대해지고 있다. 그러나 서울이라고 해서 다 살기 좋고 편리하게만 되어 있지는 않다. 넓혀지고 치솟는 중심가의 근대화와는 상관없이 구태의연한 소외 지대가 얼마든지 있다.

강을 사이에 두고 나룻배가 오락가락한다면 백마강쯤으로 상상할 사람이 많겠지만 그곳은 부여가 아니라 대서울의 뚝섬 나루다. 강 건너에는 수백 가구의 주민들이 납세를 비롯한 시민의 의무를 다하면서 살고 있다.

행정구역상 서울특별시 성동구 무슨무슨 동임에는 틀림없는데, 거기는 전기도 전화도 수도시설도 없는 태고의 성역이다. 교통 수단이라고는 오로지 나룻배가 있을 뿐.

그런데 그 나룻배라는 게 참 재미 있다. 그 배는 지극히 서민적이어서 편식을 하지 않고 닥치는 대로 마구 먹는다. 승용차뿐 아니라 소가 끄는 수레며 분뇨를 실은 트럭이며 그 바퀴 아래 신사와 숙녀들도 함께 태워 준다. 그리고 그 나룻배는 도무지 시간의 구애를 받지 않는다. 아침 여섯 시에서 밤 열한 시까진가 하는 사이에 적재량이 차야 움직인다. 아무리 바빠서 발을 동동 구른댔자 시간 부재不在의 배는 떠나지 않는다. 그거나마 장마철과 결빙기에는 며칠씩 거르게 된다.

같은 서울이면서 강을 하나 사이에 두고 이렇듯 문명의 혜택은 고르지 않다. 처음으로 그 나루를 이용하기 시작한 사람들은 억울하고 안타까운 일을 많이 당하게 된다. 시간을 예측할 수 없어 허겁지겁 강변에 다다르면 한 걸음 앞서 배가 떠나고 있거나 저쪽 기슭에 매달린 채 부동자세다.

그래서 얼마 전부터는 생각을 고쳐 먹기로 했다. 조금 늦을 때마다 '너무 일찍 나왔군' 하고 스스로 달래는 것이다. 다음 배편이 내 차례인데 미리 나왔다고 생각하면 마음에 여유가 생긴다. 시간을 빼앗긴 데다 마음까지 빼앗긴다면 손해가 너무 많다.

똑같은 조건 아래서라도 희노애락의 감도가 저마다 다른 걸 보면, 우리들이 겪는 어떤 종류의 고와 낙은 객관적인 대상에 보다도 주관적인 인식 여하에 달린 것 같다. 아름다운 장미꽃에 하필이면 가시가 돋쳤을까 생각하면 속이 상한다. 하지만 아무짝에도 쓸모없는 가시에서 저토록 아름다운 장미꽃이 피어났다고 생각하면 오히려 감사하고 싶어진다. 1969

오해

세상에서 대인관계처럼 복잡하고 미묘한 일이 또 있을까. 까딱 잘못하면 남의 입살에 오르내려야 하고, 때로는 이쪽 생각과는 엉뚱하게 다른 오해도 받아야 한다. 그러면서도 이웃에게 자신을 이해시키고자 일상의 우리는 한가롭지 못하다.

이해란 정말 가능한 걸까. 사랑하는 사람들은 서로가 상대방을 이해하노라고 입술에 침을 바른다. 그리고 그러한 순간에서 영원을 살고 싶어한다. 그러나 그 이해가 진실한 것이라면 항상 불변해야 할 텐데 번번이 오해의 구렁으로 떨어진다.

나는 당신을 이해합니다라는 말은 어디까지나 언론 자유에 속한다. 남이 나를, 또한 내가 남을 어떻게 온전히 이해할 수 있단 말인가. 그저 이해하고 싶을 뿐이지. 그래서 우리는 모두가 타인이다.

사람은 저마다 자기 중심적인 고정관념을 지니고 살게 마련이다. 그러기 때문에 어떤 사물에 대한 이해도 따지고 보면 그 관념의 신축 작용에 지나지 않는다. 하나의 현상을 가지고 이러쿵저러쿵 말이 많은 걸 봐도 저마다 자기 나름의 이해를 하고 있기 때문이다.

'자기 나름의 이해'란 곧 오해의 발판이다. 우리는 하나의 색맹에 불과한 존재다. 그런데 세상에는 그 색맹이 또 다른 색맹을 향해 이해해 주지 않는다고 안달이다. 연인들은 자기만이 상대방을 속속들이 이해하려는 맹목적인 열기로 하여 오해의 안개 속을 헤매게 된다.

그러고 보면 사랑한다는 것은 이해가 아니라 상상의 날개에 편승한 찬란한 오해다. "나는 당신을 죽도록 사랑합니다"라는 말의 정체는 "나는 당신을 죽도록 오해합니다"일지도 모른다.

언젠가 이런 일이 있었다. 불교 종단 기관지에 무슨 글을 썼더니 한 사무승이 내 안면 신경이 간지럽도록 할렐루야를 연발하는 것이었다. 그때 나는 속으로 이렇게 뇌고 있었다. '자네는 날 오해하고 있군. 자네가 날 어떻게 안단 말인가. 만약 자네 비위에 거슬리는 일이라도 있게 되면, 지금 칭찬하던 바로 그 입으로 나를 또 헐뜯을 텐데. 그만두게, 그만둬.'

아니나다를까, 바로 그 다음 호에 실린 글을 보고서는 입에 개거품을 물어 가며 죽일 놈 살릴 놈 이빨을 드러냈다. 속으로

웃을 수밖에 없었다. '거 보라고, 내가 뭐랬어. 그게 오해라고 하지 않았어. 그건 말짱 오해였다니까.'

누가 나를 추켜세운다고 해서 우쭐댈 것도 없고 헐뜯는다고 해서 화를 낼 일도 못된다. 그건 모두가 한쪽만을 보고 성급하게 판단한 오해이기 때문이다.

오해란 이해 이전의 상태 아닌가. 문제는 내가 지금 어떻게 살고 있느냐에 달린 것이다. 실상은 말밖에 있는 것이고 진리는 누가 뭐라 하건 흔들리지 않는다. 온전한 이해는 그 어떤 관념에서가 아니라 지혜의 눈을 통해서만 가능할 것이다. 그 이전에는 모두가 오해일 뿐이다.

나는 당신을 사랑합니다.

무슨 말씀, 그건 말짱 오해라니까. 1972

설해목雪害木

해가 저문 어느 날, 오막살이 토굴에 사는 노승 앞에 더벅머리 학생이 하나 찾아왔다. 아버지가 써 준 편지를 꺼내면서 그는 사뭇 불안한 표정이었다.

사연인즉, 이 망나니를 학교에서고 집에서고 더 이상 손댈 수 없으니, 스님이 알아서 사람을 만들어 달라는 것이었다. 물론 노승과 그의 아버지는 친분이 있는 사이였다.

편지를 보고 난 노승은 아무런 말도 없이 몸소 후원에 나가 늦은 저녁을 지어 왔다. 저녁을 먹인 뒤 발을 씻으라고 대야에 가득 더운 물을 떠다 주었다. 이때 더벅머리의 눈에서는 주르륵 눈물이 흘러내렸다.

그는 아까부터 훈계가 있으리라 은근히 기다려지기까지 했지만 스님은 한 마디 말도 없이 시중만을 들어 주는 데에 크게 감동한 것이다. 훈계라면 진저리가 났을 것이다. 그에게는 백천 마디 좋은 말보다는 다사로운 손길이 그리웠던 것이다.

이제는 가고 안 계신 한 노사老師로부터 들은 이야기다. 내게는 생생하게 살아 있는 노사의 모습이다.

산에서 살아 보면 누구나 다 아는 일이지만, 겨울철이면 나무들이 많이 꺾인다. 모진 비바람에도 끄떡 않던 아름드리 나무들이, 꿋꿋하게 고집스럽기만 하던 그 소나무들이 눈이 내려 덮이면 꺾이게 된다. 가지 끝에 사뿐사뿐 내려 쌓이는 그 가볍고 하얀 눈에 꺾이고 마는 것이다.

깊은 밤, 이 골짝 저 골짝에서 나무들이 꺾이는 메아리가 울려올 때, 우리들은 잠을 이룰 수 없다. 정정한 나무들이 부드러운 것 앞에서 넘어지는 그 의미 때문일까. 산은 한겨울이 지나면 앓고 난 얼굴처럼 수척하다.

사밧티의 온 시민들을 공포에 떨게 하던 살인귀 앙굴리말라를 귀의시킨 것은 부처님의 불가사의한 신통력이 아니었다. 위엄도 권위도 아니었다. 그것은 오로지 자비였다. 아무리 흉악무도한 살인귀라 할지라도 차별없는 훈훈한 사랑 앞에서는 돌아오지 않을 수 없었던 것이다.

바닷가의 조약돌을 그토록 둥글고 예쁘게 만든 것은 무쇠로 된 정이 아니라, 부드럽게 쓰다듬는 물결이다. 1968

아파트와 도서관

한때 우리 나라에는 '섰다' 하면 교회라는 말이 있었다. 그러나 그 말도 이제는 빛이 바래졌다. 그 자리에는 바야흐로 호텔과 아파트가 우뚝우뚝 치솟고 있다.

호텔은 요즘 밀려드는 외국 관광객의 사태로 이른바 즐거운 비명을 지르고 있다니, 외화 획득에 안간힘을 쓰고 있는 국가 정책면에서 볼 때 크게 환영할 일이다. 그 외화의 위력 앞에 몸과 마음을 아무렇게나 굴려 겨레의 체면이나 긍지를 내동댕이치는 일만 없다면.

서민의 주택난을 해소하기 위해 적극 장려되고 있는 건축 양식이 아파트임은 더 말할 것도 없다. 그런데 이 아파트가 본래의 건축 목적을 외면한 채 호화판으로 기울고 있으니 어떻게 된 노릇인가. 심지어 한 가구에 2천만 원짜리까지 있다니,

그것도 '파격적인 가격'이라고 한다니 서민들은 그야말로 파격적인 충격을 받지 않을 수 없다.

아직도 서울을 비롯한 대도시의 주택 부족률은 40퍼센트 선을 웃돌고 있는 안타까운 실정이다. 이런 사정을 누구보다 더 잘 알고 있을 아파트 건축 관계자들임에도 호화판에만 관심을 쏟고 있는 것이다. 호화판일수록 입주자가 쇄도하기 때문인가. 호화 아파트는 대가족이 한자리에 모여 오손도손 살기 위해서가 아님은 물론이다. 허영심을 부채질하고 일부 여유 자금의 부동산 투기 대상이 되기도 한다는 것. 이래서 서민들은 혜택권 밖에서 바람비를 맞는다. 가난한 서민의 이름으로 시작된 일이 돈 많은 부자들 차지가 되고 있는 것이다.

그런데 이 아파트의 위세가 설 자리를 가리지 않고 어디나 불쑥불쑥 고개를 디밀려는 데에 우리는 저항을 느낀다. 서울대학교 본부 자리에 아파트가 들어선다는 소식을 들었을 때 심히 안타깝고 착잡한 심경이었다.

그 대학이 내게는 모교도 자교도 아니지만, 유서 깊은 대학의 터가 학문의 전당으로 보존되지 못하고 기껏 그러한 아파트로 주저앉는가 싶어서였다. 가뜩이나 대학의 역사가 길지 않은 우리이고 보면 그 터는 평당 얼마짜리의 단순한 지면地面으로 칠 것이 아니라, 그 공간이며 분위기까지도 대학의 역사와 함께 보존되어야 한다.

최근에 나는 참으로 흐뭇한 소식을 들었다. 그것은 눈물겹 도록 갸륵하고 고마운 일이었다. 서울대 본부 캠퍼스에 국립 도서관을 지어 캠퍼스를 학문의 전당으로서 보존하자는 운동 이 그 대학 동창인 가정 주부들 사이에 일고 있다는 소식이다.

17억 원을 들여 여의도에 지을 국립도서관을 서울대학 자리 에 짓는다면 그 캠퍼스는 길이 학문의 전당으로 보존될 거라 는 의견은 모든 시민들이 크게 공감할 바다. 그리고 국민의 세 금으로 지을 국립도서관이라면 국민 누구나가 편리하게 드나 들 수 있는 위치여야 한다는 점에서도 그 캠퍼스는 최적지일 것이다. 여의도에는 국회도서관이 설 테니 한 군데 둘씩이나 세울 필요는 없다. 그리고 도심에 아파트를 짓는 것은 도시의 인구 분산 정책에도 역행되는 일이다.

이제 시민들은 관계 당국의 지혜로운 배려가 있기를 다 같 이 기대하자. 아파트냐 도서관이냐는 민족의 슬기를 잴 수 있 는 하나의 척도가 될 것이다. 우리들이 '그 집 앞'을 지날 때마 다 지혜로운 배려에 미소를 머금을 수 있도록, 이 시대의 우리 만이 아니라 후대의 자손들까지도 그 미소의 의미를 물려받을 수 있도록 한 겨레의 처지에서 간절히 바라는 바다. 1973

종점에서 조명을

인간의 일상 생활은 하나의 반복이다. 어제나 오늘이나 대개 비슷비슷한 일을 되풀이하면서 살고 있다. 시들한 잡담과 약간의 호기심과 애매한 태도로써 행동한다. 여기에는 자기 성찰 같은 것은 거의 없고 다만 주어진 여건 속에 부침하면서 살아가는 범속한 일상인이 있을 뿐이다.

자신의 의지에서가 아니라 타성의 흐름에 내맡긴 채 흘러가고 있는 것이다. 모방과 상식과 인습의 테두리 안에서 편리하고 무난하게 처신을 하면 된다. 그래서 자기가 지닌 생생한 빛깔은 점점 퇴색되게 마련이다.

생각하면 지겹고 답답해 숨막힐 일이지만 그래도 그렁저렁 헛눈을 팔면서 살아가고 있다. 이러한 일상성에서 벗어나기 위해 사람들은 때로 나그네 길을 떠난다. 혹은 한강 인도교의 비어 꼭대기에 올라가 뉴스거리가 되어 보기도 한다. 그러나 얼마 안 가서 자신의 그림자를 이끌고 되돌아오고 만다.

자기의 인생을 처음부터 다시 시작해 보았으면 좋겠다는 별난 사람이 있었다. 나는 그를 데리고 불쑥 망우리를 찾아간 일이 있다. 짓궂은 성미에서가 아니라 성에 차지 않게 생각하는 그의 생을 죽음 쪽에서 조명해 주고 싶어서였다. 여지가 없는 무덤들이 거기 그렇게 있었다.

망우리!

과연 이 동네에서는 모든 근심 걱정을 잊어 버리고 솔바람 소리나 들으며 누워 있는 것일까. 우뚝우뚝 차갑게 지켜 서 있는 그 비석들만 아니라면 정말 지극히 평온할 것 같았다. 죽어 본 그들이 살아 있는 우리에게 하고 싶은 말은 무엇일까? 만약 그들을 깊은 잠에서 불러 깨운다면 그들은 되찾은 생을 어떻게 살아갈까?

사형수에게는 일분 일초가 생명 그 자체로 실감된다고 한다. 그에게는 내일이 없기 때문이다. 그래서 늘 오늘을 살고 있는 것이다. 그런데 우리는 오늘에 살고 있으면서도 곧잘 다음날로 미루며 내일에 살려고 한다. 생명의 한 토막인 하루하루를 소홀히 낭비하면서도 뉘우침이 없다.

바흐를 좋아하는 사람들은 그의 음악에서 장엄한 낙조 같은 걸 느낄 것이다. 단조로운 듯한 반복 속에 깊어짐이 있기 때문이다. 우리들의 일상이 깊어짐 없는 범속한 되풀이만이라면 두 자리 반으로 족한 '듣기 좋은 노래'가 되고 말 것이다.

일상이 지겨운 사람들은 때로는 종점에서 자신의 생을 조명해 보는 일도 필요하다. 그것은 오로지 반복의 깊어짐을 위해서. 1970

흙과 평면 공간

"마누라 없이는 살아도 장화 없이는 못 산다"는 이 말은 근대화에서 소외된 촌락에 사는 사람이면 누구나 입에 담을 수 있는 오늘의 속담이다. 우리 동네에서 뚝섬으로 가는 나루터까지의 길도 그러한 유형에 속하는 이른바 개발 도상의 길이다.

이 길은 몇 해 전만 해도 산모퉁이며 논길과 밭둑길이 있어 사뭇 시골길의 정취가 배어 있었다. 그런데 무슨 지구 개발인가 하는 바람에 산이 깎이고 논밭이 깔아뭉개지더니 그만 허허벌판이 되고 말았다. 물 빠질 길도 터놓지 않아 비가 오거나 눈이 녹으면 그야말로 엉망진창이다. 그래도 이 길을 다니는 선량한 백성들은 당국에 대한 불평 한 마디 없이 묵묵히 오고 간다. 가히 양같이 어진 백성들이라 할 만하다.

이제 이 길에 얼음이 풀리니 장화를 신고도 발을 떼어 놓기가 어렵다. 하지만 이러한 길에도 감사를 느끼면서 걷기로 했다. 그것은 한동안 잃어 버렸던 흙과 평면 공간을 이 길에서 되찾았기 때문이다.

몇 사람이 합숙을 하면서 해야 할 일이 있어 어느 아파트 단지에 들어가 한 달 남짓 지냈었다. 같이 일할 사람들이 절에서는 거처가 불편하다는 이유에서였다. 처음에는 생활 환경이 바뀌는 데서 오는 약간의 호기심과 아파트의 주거 생태를 체험할 수 있는 기회라 싶어 그런 대로 지낼 만했다. 생활이 편리해서 우선 시간이 절약되었다. 그런데 날이 갈수록 일에 능률도 안 오르고 무엇인가 퇴화되어 가는 듯한 느낌이었다.

8층에서 단추만 누르면 삽시간에 지상으로 내려온다. 슬리퍼를 신은 채 스무 걸음쯤 걸어 슈퍼마켓에서 필요한 것을 사온다. 그것도 귀찮으면 전화로 불러 가져오게 한다. 물론 연탄불을 갈 시간 같은 것에 신경을 쓸 필요도 없다. 이렇듯 편리하게 사는 데도 뭔가 중심이 잡히지 않은 채 겉돌아 가는 것 같았다. 무슨 까닭인지 알 수 없었다.

그러던 어느 날, 그 흙탕길을 걸으면서 문득 생각이 피어올랐다. 잘산다는 것은 결코 편리하게 사는 것만이 아니라는 것을. 우선 우리는 보행의 반경을 잃은 것이었다. 그리고 차단된 시야 속에서 살았던 것이다. 걷는다는 것은 단순히 몸의 동작만이 아니라 거기에는 활발한 사고 작용도 따른다. 툭 트인 시야는 무한을 느끼게 한다.

그곳에는 수직 공간은 있어도 평면 공간이 없었다. 그래서 이웃과도 온전히 단절되어 있었다. 오르내리는 엘리베이터 속의 얼굴들도 서로가 맨숭맨숭한 타인들. 그리고 무엇보다 아쉬운 것은 흙이다. 그렇다, 인간의 영원한 향수 같은 그 흙이 없었기 때문에, 우리는 늘 추상적으로 살았던 것이다. 마치 온실 속의 식물처럼.

흙과 평면 공간, 이것을 등지고 인간이 어떻게 잘 살 수 있을 것인가. 그런데 현대 문명의 권속들은 그저 편리한 쪽으로만 치닫고 있다. 그 결과 평면과 흙을 잃어 간다. 불편을 극복해 가면서 사는 데에 건강이 있고 생의 묘미가 있다는 상식에서조차 멀어져 가고 있다. 불편하게는 살 수 있어도 흙과 평면 공간 없이는 정말 못 살겠더라. 1972

탁상 시계 이야기

처음 만난 사람과 인사를 나눌 경우, 서투르고 서먹한 분위기와는 달리 속으로 고마움을 느낄 때가 있다. 이 지구상에는 36억인가 하는 많은 사람이 살고 있다는데, 지금 그 중의 한 사람을 만난 것이다. 우선 만났다는 그 인연에 감사하지 않을 수 없다. 같은 하늘 밑, 똑같은 언어와 풍속 안에 살면서도 서로가 스쳐 지나가고 마는 인간의 생태이기 때문이다.

설사 나를 해롭게 할 사람이라 할지라도 그와 나는 그만큼의 인연이 있어 만난 것이 아니겠는가. 그 많은 사람 가운데서 왜 하필이면 나와 마주친 것일까. 불교적인 표현을 빌린다면 시절 인연이 다가선 것이다.

이러한 관계는 물건과 사람의 경우에도 마찬가지다. 많은 것 중에 하나가 내게 온 것이다. 지금 이 글을 쓰고 있는 탁상에는 내 생활을 거동케 하는 국적 불명의 시계가 하나 있다. 그 놈을 보고 있으면 물건과 사람 사이의 인연도 정말 기구하구나 싶어진다. 그래서 그 놈이 단순한 물건으로 보이지 않는다.

지난해 가을, 새벽 예불 시간에 일어난 일이었다. 큰 법당 예불을 마치고 판전板殿을 거쳐 내려오면 한 시간 가까이 걸린다. 돌아와 보니 방문이 열려 있었다. 도둑이 다녀간 것이다. 평소에 잠그지 않는 버릇이라 그는 무사통과였다. 살펴보니 평소에 필요한 것들만 골라 갔다. 내게 소용된 것이 그에게도 필요했던 모양이다.

그래도 가져간 것보다 남긴 것이 더 많았다. 내게 잃어버릴 물건이 있었다는 것이, 남들이 보고 탐낼 만한 물건을 가지고 있었다는 사실이 적잖이 부끄러웠다. 물건이란 본래부터 내가 가졌던 것이 아니고 어떤 인연으로 해서 내게 왔다가 그 인연이 다하면 떠나가기 마련이라 생각하니 조금도 아까울 것이 없었다. 어쩌면 내가 전생에 남의 것을 훔친 그 과보인지도 모른다고 생각하면, 오히려 빚이라도 갚고 난 듯 홀가분한 기분이다.

그런데 그는 대단한 것이라도 있는가 싶어 있는 것 없는 것을 샅샅이 뒤져 놓았다. 잃은 것에 대해서는 조금도 애석하지 않았는데 흐트러 놓고 간 옷가지를 하나하나 제자리에 챙기자니 새삼스레 인간사가 서글퍼지려고 했다.

당장에 아쉬운 것은 다른 것보다도 탁상에 있어야 할 시계였다. 도군이 다녀간 며칠 후 시계를 사러 나갔다. 이번에는 아무도 욕심내지 않을 허름한 것으로 구해야겠다고 작정, 청계천에 있는 어떤 시계 가게로 들어갔다. 그런데, 그런데, 허허, 이거 어찌된 일인가. 며칠 전에 잃어 버린 우리 방 시계가 거기서 나를 기다리고 있는 게 아닌가. 그것도 웬 사내와 주인이 목하目下 흥정중이었다.

나를 보자 사내는 슬쩍 외면했다. 당황한 빛을 감추지 못했다. 그에게 못지않게 나도 당황했다.

결국 그 사내에게 돈 천 원을 건네 주고 내 시계를 내가 사게 되었다. 내가 무슨 자선가라고 그를 용서하고 말고 할 것인가. 따지고 보면 어슷비슷한 허물을 지니고 살아가는 인간의 처지인데. 뜻밖에 다시 만난 시계와의 인연이 우선 고마웠고, 내 마음을 내가 돌이켰을 뿐이다.

용서란 타인에게 베푸는 자비심이라기보다, 흐트러지려는 나를 나 자신이 거두어들이는 일이 아닐까 싶었다. 1972

동서의 시력

내 몸이 성할 때는 조금도 그런 생각이 없는데, 어쩌다 앓게
되면 육신에 대한 비애를 느낀다. 처음에는 대수롭지 않게 여
겨 모른 체했다가, 조금 지나서는 큰 마음 먹고 약국에 들른
다. 그러다가 마침내는 그토록 머리 무거운 병원 문턱을 들어
설 때 그 비애를 느낀다. 진찰권을 끊고 차례를 기다리며 복도
에 앉아 있는 그 후줄근한 시간에는 내 육신이 사뭇 주체스러
워진다. 의사를 대했을 때 우리는 말 잘 듣는 착한 어린이가
된다.

재작년 겨울이던가, 눈이 아파 한동안 병원엘 드나든 적이
있었다. 그 무렵 성전 간행 일로 줄곧 골몰했더니 바른쪽 눈이
충혈되고 찌뿌드드해 무척 거북스러웠다. 안약을 넣어도 듣지
않았다. 미적미적 미루다가 하루는 마음을 크게 먹고 신문에

자주 나오는 안과를 찾아갔다. 나처럼 서투르고 어설픈 사람이면 대개가 그렇듯이 광고의 유도를 받은 것이다.

그 안과는 어찌나 환자들로 붐비던지 진찰받는 시간보다 기다리는 시간이 몇 곱절 더 길었다. 의사는 밀린 환자 때문에 그럼인지 경기장에서 갓 나온 운동 선수처럼 씩씩거리면서 내 눈을 살폈다. 시력에는 이상이 없었다. 기표소처럼 휘장이 쳐진 구석을 가리켰다. 대기하고 있던 간호원이 철썩 엉덩이에 주사침을 꽂았다. 그리고 안약 한 병. 지극히 간단하고 신속한 진료였다. 날마다 오라고 했지만 나는 그 의사의 초대를 사양했다. 날마다 찾아갈 성의도 여가도 함께 없었지만 무엇보다 그 의사에게 신뢰가 가지 않았기 때문이다.

내친 걸음에 다음날은 그 길 건너에 있는 안과를 찾아갔다. 분위기가 차분했다. 물론 씩씩거리지도 않았다. 병명은 구결막 부종. 우리 시민 사회의 말로 하자면 눈의 흰자가 좀 부었다는 것이다. 시력에는 영향이 없으니 걱정말고 눈을 푹 쉬라고 했다. 그런데 출간 예정일 때문에 눈을 쉬게 할 수가 없었다. 할 일은 태산 같은데 몸이 따르지 못하는 그런 안타까움이었다.

그렁저렁 두어 주일이 지났다. 의사는 걱정마라 했지만 당사자인 나는 차도가 없으니 속으로 불안해지지 않을 수 없었다. 이번에는 번듯한 종합병원을 찾아갔다. 그곳은 진찰권을 끊는 창구부터가 큰 혼잡이었다. 복도마다 환자들로 장을 이루었다. 세상 사람들 모두가 앓고 있는 것만 같았다. 갈데없이 나도 환자로구나 싶었다.

한 시간 가까이 안과 앞에서 기다리다 못해 그만 일어서려는데, 그때 유감스럽게도 내 이름을 불렀다. 진료에 참고가 될까 해서 그간의 경과를 이실직고했더니, 담당 의사는 갸웃거리면서 내가 알아볼 수 없는 글씨로 내리갈겼다.

간호원은 나를 혈액 검사실로 보냈다. 그러고 나서는 변을 받아 오라고 했다. 이거 왜 이럴까 싶었지만 착한 어린이가 된 환자라 시키는 대로 순종했다. 그러면서도 이런 생각이 스쳤다. 아하, 종합병원이란 곳은 참으로 종합적으로 진찰을 하는 데로구나. 주머니 실력도 종합적으로 공평하게 분산시키는 데로구나.

혈액이고 변이고 검사 결과는 물론 정상이었다. 그토록 정상인 내 몸을 이번에는 또 수술실로 데려가는 것이었다. 조직검사를 해보자는 것이다. 그 방면에 문외한인 나는 조직 검사가 어떤 것인지를 전혀 알지 못했었다. 만약 사전에 알았더라면 그것만은 단연 불응했을 텐데.

수술대에 누이더니 눈 언저리에 마취 주사를 놓았다. 구결막을 두어 군데 오려내고 꿰매는 것이었다. 내 눈은 납치범이 아닌 의사의 손에 의해 철저히 봉해졌다. 이것도 뒤늦게야 안 일이지만, 혹시 암이 아닌가 싶을 때 조직 검사를 한다는 것이다. 한 주일 후에야 그 결과가 판명된다는 말을 듣고 한쪽 눈을 안대로 가린 나는 몹시 답답하고 막막한 심경이었다.

귀로에 나는 문득 내 육신에 대해 미안하고 안쓰러운 생각이 들었다. 평소 잘 먹이지도, 쉬게 하지도 못하고 너무 혹사만 했구나 생각하니 새삼스레 연민의 정이 솟았다. 그리고 업보로 된 이 몸뚱이가 바로 괴로움이라는 사실을 거듭거듭 절감하게 되었다. 검사 결과를 기다리는 그 한 주일 동안은 불안한 나날이었다. 불필요한 상상력이 제멋대로 날개를 쳤다. 젠장 살다가 병신이 될 모양인가…….

이때 나는 베토벤이 아니었더라면 그 무엇으로도 위로받지 못했을 것이다. 어떠한 병고라 할지라도 그가 겪은 것에 비한다면 아무것도 아닐 것 같았다. 그의 가혹한 운명적인 생애가 병고에 위축된 그 겨울의 나를 따뜻하게 그리고 밝게 조명해 주었던 것이다.

검사 결과는 혈관이 좀 수축되었다는 것, 그뿐이었다. 다행이라 싶었지만 한편 생각하니 괘씸했다. 돈 들이고 병을 산 셈이 아닌가. 그 동안에 입은 정신적인 피해는 놔 두고라도 조직 검사로 인해 눈을 더 망쳐 놓은 것이다. 의사 자신이나 그 가족의 경우였다면 그같이 했을까 싶었다.

그러나 돌이켜 마음 먹기로 했다. 그래야 내 마음이 편하니까. 왜 하필이면 내가 그날 그 병원에 가서 그 의사한테 진료를 받게 됐을까. 그것은 모두가 인연의 줄에 얽힌 까닭일 것이다. 설사 그 의사의 신중하지 못한 임상실험으로 내 육신이 피해를 입었다 할지라도 그것은 내가 지어서 받은 과보이다. 내가 아쉬워서 내 발로 찾아갔으니까. 그리고 유기체인 이 육신을 가지고 항상 온전하기를 바란다는 것부터가 과분한 일 아닌가.

눈은 그 뒤 한의사의 가루약 다섯 봉지를 먹고 나았다. 조직검사의 자국만은 남긴 채. 그 한의사의 말인즉, 너무 과로했기 때문에 간장에 열이 생겨 상기됐다는 것. 상기가 되면 구결막이 붓는 수가 있다고 했다. 간장의 열만 다스리면 저절로 나을 거라고 지어 준 약을 먹었더니 이내 나았다.

그런데 모두가 의학박사이기만 한 그 양의사들은 병의 근원이 어디 있는지도 모르고 겉에 나타난 증상만을 치료하려 했다.

그때 나는 안질을 통해서 새로운 눈을 뜨게 되었다. 사회 현상을 비롯한 사물의 실상을 측면에서 볼 수 있는 그러한 시야를 지니게 되었다. 그리고 동양과 서양의 시력(관점) 같은 걸 내 나름으로 잴 수 있었다. 막막한 그 육신의 비애를 치러 가면서. 1973

회심기

내 마음을 내 뜻대로 할 수만 있다면, 나는 어디에도 걸림이 없는 한도인閑道人이 될 것이다. 그럴 수 없기 때문에 온갖 모순과 갈등 속에서 부침하는 중생이다.

우리들이 화를 내고 속상해 하는 것도 따지고 보면 외부의 자극에서라기보다 마음을 걷잡을 수 없는 데에 그 까닭이 있을 것이다.

3년 전, 우리가 머무르고 있는 절의 경내지境內地가 종단의 몇몇 사무승들의 농간에 의해 팔렸을 때, 나는 분한 생각 때문에 며칠 동안 잠조차 이룰 수 없었다. 전체 종단의 여론을 무시하고 몇몇이서 은밀히 강행한 처사며, 수천 그루의 아름드리 소나무들이 눈앞에서 넘어져 갈 때, 그리고 밤낮을 가리지 않고 불도저가 산을 헐어 뭉갤 때, 정말 분통이 터져 견딜 수가 없었다.

나를 둘러싸고 있는 모든 것들이 원망스럽고 저주스러웠다. 함께 살던 주지 스님도 다른 절을 맡아서 가고, 그 그늘에서 붙어 살던 나는 그야말로 개밥에 도토리 신세가 되고 말았다. 나는 다른 도량으로 옮겨 차라리 눈으로 보지나 말자고 내심 작정하고 있었다.

그러던 어느 날 새벽, 법당에서 예불을 마치고 내려오던 길에 문득 한 생각이 떠올랐다.

본래무일물本來無一物!

본래 한 물건도 없다는 이 말이 떠오른 순간 가슴에 맺혔던 멍울이 삽시간에 술술 풀리었다.

그렇지! 본래 한 물건도 없는 거다. 이 세상에 태어날 때 가지고 온 것도 아니고, 이 세상을 하직할 때 가져 가는 것도 아니다. 인연 따라 있었다가 그 인연이 다하면 흩어지고 마는 거다. 언젠가 이 몸뚱이도 버리고 갈 것인데…….

이렇게 생각이 미치자 그 전까지의 관념이 아주 달라지게 되었다. 내가 주지 노릇을 하지 않고 붙어 살 바에야 어디로 옮겨 가나 마찬가지 아니냐. 중생들끼리 얽혀 사는 사바세계라면 거기가 거기지. 그렇다면 내 마음 먹기 탓이다. 차라리 비리의 현장에서 나를 키우리라. 땅에서 넘어진 자 땅을 짚고 일어난다는 옛사람의 말도 있지 않더냐.

이때부터 팔려 나간 땅에 대해서도 애착이 가지 않았다. 그것은 본래 사찰 소유의 땅이 아니었을 것이다. 신도들이 희사를 했거나 아니면 그때까지 주인이 없던 땅을 절에서 차지한 것일 게다. 그러다가 그 인연이 다해 내놓게 된 것이다. 그리고 경내지가 팔렸다고 해서 그 땅이 어디로 간 것이 아니고 다만 소유주가 바뀔 뿐이다.

이날부터 마음이 평온해지고 잠을 제대로 잘 수 있었다. 그토록 시끄럽던 불도저며 바위를 뚫는 컴프레서 소리가 아무렇지 않게 들렸다. 그것은 이렇게 생각했기 때문이다.

남들을 향해서는 곧잘 베풀라고 하면서 지금까지 나 자신은 무엇을 얼마나 베풀어 왔느냐. 지금 저 소리는 너의 잠을 방해하기 위해서가 아니고 집이 없는 사람들에게 집을 지어 주기 위해 터를 닦는 소리다. 이 소리도 못 듣겠다는 게냐?

그리고 그 일터에는 수백 명의 노동자들이 밤잠도 못 자며 땀 흘려 일을 하고 있다. 그들에게는 저마다 몇 사람씩 딸린 부양가족이 있을 것이다. 그들 가족 중에는 지금 입원 환자도 있을 거고, 등록금을 내야 할 학생도 있을 것이다. 연탄도 들여야 하고, 눈이 내리기 전에 김장도 해야 할 것이다. 내가 그들에게 보내 주지는 못할망정 살기 위해 일하는 소리조차 듣기 싫다는 게냐?

이처럼 생각이 돌이켜지자 그토록 시끄럽고 골이 아프던 소음이 아무렇지도 않게 들렸다. 이때를 고비로 나는 종래까지의 사고와 가치 의식이 아주 달라졌다. 이 세상은 나 혼자만이 아니라 많은 이웃과 함께 어울려 살고 있다는 사실이 구체적으로 새겨지게 되었다.

소유 관념이나 손해에 대한 개념도 자연 수정될 수밖에 없었다. 내 것이란 아무것도 없기 때문에 본질적으로 손해란 있을 수 없다. 또 내 손해가 이 세상 어느 누구에겐가 이익이 될 수만 있다면 그것은 잃은 것이 아니라는 논리였다.

절에도 가끔 도둑이 든다. 절이라고 이 지상의 풍속권에서 예외는 아니다. 주기적으로 기웃거리는 단골 도둑이 있어 허술한 문단속에 주의를 환기시킨다. 날마다 소용되는 물건을 몽땅 잃었을 때 괘씸하고 서운한 생각이 고개를 들려고 했다. 그러자 본래무일물本來無一物이 그 생각을 지워 버렸다. 한동안 맡아 가지고 있던 걸 돌려보낸 거라고.

자칫했더라면 물건 잃고 마음까지 잃을 뻔하다가 공수래 공수거空手來 空手去의 교훈이 내 마음을 지켜 주었던 것이다.

대중 가요의 가사를 빌릴 것도 없이, 내 마음 나도 모를 때가 없지 않다. 정말 우리 마음이란 미묘하기 짝이 없다. 너그러울 때는 온 세상을 다 받아들이다가 한번 옹졸해지면 바늘 하나 꽂을 여유조차 없다. 그러한 마음을 돌이키기란 결코 쉬운 일이 아니다. 그러나 그것이 내 마음이라면 그 누구도 아닌

나 자신이 활용할 수 있어야 한다. 화나는 그 불꽃 속에서 벗어나려면 외부와의 접촉에도 신경을 써야겠지만, 그보다도 생각을 돌이키는 일상적인 훈련이 앞서야 한다.

그래서, 마음에 따르지 말고 마음의 주인이 되라고 옛사람들은 말한 것이다. 1972

조조할인

지난 일요일, 볼일로 시내에 들어갔다가 극장 앞에 줄지어 늘어서 있는 장사진을 보고, 시민들은 참 열심히 살고 있구나 하는 생각이 들었다. 그러나 한낮의 뙤약볕 아래 묵묵히 서 있는 그들의 얼굴을 가까이서 보았을 때 측은한 생각이 고개를 들었다. 먼 길의 나그네에게서나 느낄 수 있는 피로와 우수의 그림자 같은 걸 읽었기 때문이다.

모처럼 휴일을 맞아 남들은 권태로운 영역을 탈출, 녹음이 짙은 산과 출렁거리는 물가에서 여가를 즐기고 있을 텐데, 무슨 자력에라도 매달리듯 마냥 같은 공해 지대에서 서성거리고 있는 그 모습들이 조금은 안쓰러웠다. 시정의 서민들이 기껏 즐길 수 있는 오락이라는 게 바로 극장에서 돌아가고는 있지만.

우리도 가끔 그런 오락의 혜택을 받을 때가 있다. 그러나 백주의 장사진에 낄 만한 열성은 갖지 못했다. 사실 오락은 그때의 기분과 직결되는 것이라 때와 장소가 문제되지 않을 수 없다.

얼마 전 우리 국산 영화 사상 드물게 보는 수작이라고, 그걸 안 보면 한이 되리라는 듯이 하도 보채대는 광고와 영화평에 이끌려 한낮에 을지로 쪽으로 찾아갔었다. 극장을 나오는 길로 약국에 들러 두통약을 사서 먹고도 불쾌감은 쉽사리 가시지 않았다. 영화 자체도 문제 이하의 것이지만(전문가들은 그 영화에 무슨 상을 내렸다) 그 극장의 분위기가 쾨쾨하게 밀폐된 창고 같아서 30분도 못 되어 골이 아프기 시작했다. 즐기러 갔다가 즐기기는커녕 고통을 당한 것이다. 허물은 물론 광고문에 속은 이쪽에 있었다.

나는 그래서 조조할인을 좋아한다. 그 까닭은 결코 할인에 있는 것이 아니고 조조부朝의 그 분위기에 있다. 우선 창구 앞에 늘어설 필요가 없으니 절차가 간단해서 좋다. 줄지어 늘어서서 기다릴 때 오락은 절반쯤 그 폭이 줄어들 것이다.

그리고 아무데나 앉고 싶은 자리에 앉을 수 있는 특권이 있다. 안내양의 그 불안하도록 희미한 플래시의 지시를 받을 필요도 없이 선택의 좌석이 여기저기 마련되어 있다. 모처럼 배당받은 좌석 앞에 벽처럼 버티고 앉은 좌고坐高가 시야를 가릴

경우 나의 죄없는 고개는 피해를 입어야 한다. 그러나 조조에
는 그런 피해도 없다.

무엇보다도 조조의 매력은 듬성듬성 앉아 있는 그 여유있는
공간에 있을 것 같다. 우리들이 영화나 연극을 보는 것은 단조
롭고 반복되는 일상적인 굴레에서 벗어나 색다른 세계에 자신
을 투입하여 즐기려는 것인데, 밀집한 일상이 영화관에까지
연장된다면 어떻게 색다른 세계를 이룰 수 있을 것인가. 그러
한 밀집은 출퇴근 시간의 만원 버스나 다닥다닥 붙은 이웃집
처마끝만으로도 충분하다. 가뜩이나 각박한 세정에 듬성듬성
앉을 수 있는 그러한 공간은 여유가 있어 좋다.

그렇게 앉아 있는 뒷모습들을 보노라면 말할 수 없는 친근
감이 출렁거리게 된다. 이 아침에 모인 이웃들은 어떤 사람들
일까? 일자리를 얻지 못해 얹혀 사는 사람들일까, 혹은 너무
선량하기 때문에 일터에서 밀려난 사람들일까? 아니면 지나는
길에 훌쩍 들른 그런 사람들일까? 어쨌든 다 선량한 사람들만
같다.

누가 잘못해 자기 발등을 좀 밟았기로 그만한 일을 가지고
눈을 흘기거나 시비를 걸 사람은 아닐 것 같다. 나직한 소리로
이야기를 하면 막혔던 의사가 술술 풀릴 그런 이웃들 같다.

〈25시〉를 보고 나오던 지난해 여름의 조조, 몇 사람의 얼굴
에서 눈물 자국을 보았을 때 나는 문득 "요한 모리츠!" 하고

그들의 손을 덥석 쥐고 싶은 충동을 느꼈다. 1970

나그네 길에서

사람들의 취미는 다양하다. 취미는 감흥을 불러일으키는 인간적인 여백이요 탄력이다. 그러기에 아무개의 취미는 그 사람의 인간성을 밑받침한다고도 볼 수 있다.

여행을 싫어하는 사람이 있을까? 물론 개인의 신체적인 장애나 특수 사정으로 문밖에 나서기를 꺼리는 사람도 없지 않겠지만, 대개의 경우 여행이란 우리들을 설레게 할 만큼 충분한 매력을 지니고 있다. 호주머니의 실력이나 일상적인 밥줄 때문에 선뜻 못 떠나고 있을 뿐이지 그토록 홀가분하고 마냥 설레는 나그네 길을 누가 마다할 것인가.

허구한 날 되풀이되는 따분한 굴레에서 벗어난다는 것은 무엇보다 즐거운 일이다. 봄날의 노고지리가 아니더라도 우리들의 입술에서는 저절로 휘파람이 새어 나온다.

훨훨 떨치고 나그네 길에 오르면 유행가의 가사를 들출 것
도 없이 인생이 무어라는 것을 어렴풋이나마 느끼게 된다. 자
신의 그림자를 이끌고 아득한 지평을 뚜벅뚜벅 걷고 있는 나
날의 나를 이만한 거리에서 바라볼 수 있다. 구름을 사랑하던
헤세를, 별을 기리던 생 텍쥐페리를 비로소 가슴으로 이해할
수 있다. 또한 낯선 고장을 헤매노라면 더러는 옆구리께로 허
허로운 나그네의 우수 같은 것이 스치고 지나간다.

지난해 가을, 나는 한 달 가까이 그러한 나그네 길을 떠돌았
다. 승가僧家의 행각은 세상 사람들의 여행과는 다른 데가 있
다. 볼일이 따로 있는 것도 아니고 누가 어디서 기다리는 것도
아니다. 마음 내키는 대로, 발길 닿는 대로 가는 것이다.

구름처럼 떠돌고 물처럼 흐른다고 해서 운수행각雲水行脚이
라고 한다. 예전부터 선가禪家에서는 석 달 동안 한 군데서 안
거하고 나면 그 다음 석 달 동안은 행각을 하도록 되어 있다.
행각은 관광의 의미에서가 아니라 돌아다니면서 교화하고 정
진할 수 있는 기회다. 말하자면 덧없는 세상 물정을 알면서 수
행하라는 뜻에서다.

행장을 풀고 하룻밤 쉬는 곳은 물론 우리들의 절간이다. 두
어 군데말고는 다들 낯익은 사원이었다. 해질녘 절 동구 길에
서 듣는 만종 소리와 발을 담그고 땀을 들이는 차가운 개울물,
객실에 들어 오랜 만에 만난 도반과 회포를 풀면서 드는 차의

향기가 나그네의 피로를 다스려 주곤 했었다.

　이렇게 지난 가을 동으로 서로 그리고 남으로 발길이 닿는 대로 구름처럼 떠돌아 다니면서 입산 이후의 자취를 되새겨 보았다. 그때마다 지나간 날의 기억들이 저녁 물바람처럼 배어들었다. 더러는 즐겁게 혹은 부끄럽게 자신을 비춰 주었다.

　그러면서도 단 한 군데만은 차마 가볼 수 없는 데가 있었다. 아니 참으로 가보고 싶은 곳이기 때문에 가기가 두려웠던 것이다. 출가한 지 얼마 안 된 시절, 구도의 의미가 무엇인가를 배웠고, 또한 빈틈없는 정진으로 선禪의 기쁨을 느끼던 그런 도량이라 두고두고 아끼고 싶었기 때문이다.

　지리산에 있는 쌍계사 탑전!

　그곳에서 나는 16년 전 은사 효봉 선사를 모시고 단둘이서 안거를 했었다. 선사에게서 문자를 통해 배우기는 〈초발심자경문初發心自警文〉 한 권밖에 없지만 이곳 지리산 시절 일상 생활을 통해서 입은 감화는 거의 절대적인 것이었다.

　그 시절 내가 맡은 소임은 부엌에서 밥을 짓고 찬을 만드는 일이었다. 그리고 정진 시간이 되면 착실하게 좌선을 했다. 양식이 떨어지면 탁발托鉢(동냥)을 해오고, 필요한 것이 있으면 40리 밖에 있는 구례장을 보아 왔다.

　하루는 장에 갔다가 돌아오는 길에 소설을 한 권 사 왔다. 호돈의 〈주홍글씨〉라고 기억된다. 아홉 시 넘어 취침 시간에 지대방(고방)에 들어가 호롱불을 켜 놓고 책장을 펼쳤다. 출가한 후 불경 이외의 책이라고는 전혀 접할 기회가 없던 참이라 그때의 그 책은 생생하게 흡수되었다. 한참을 정신없이 읽는데 방문이 열렸다. 선사는 읽고 있던 책을 보시더니 단박 태워 버리라는 것이다. 그런 걸 보면 '출가'가 안 된다고 했다. 세속에 미련이 없는 것을 출가라고 한다.

그 길로 부엌에 나가 태워 버렸다. 최초의 분서였다. 그때는 죄스럽고 좀 아깝다는 생각이었지만, 며칠 뒤에야 책의 한계 같은 걸 터득할 수 있었다. 사실 책이란 한낱 지식의 매개체에 불과한 것, 거기에서 얻는 것은 복잡한 분별이다. 그 분별이 무분별의 지혜로 심화되려면 자기 응시의 여과 과정이 있어야 한다.

그전까지 나는 집에 두고 나온 책 때문에 꽤 엎치락뒤치락거렸는데, 이 분서를 통해 그러한 번뇌도 함께 타 버리고 말았다. 더구나 풋중 시절에는 온갖 분별을 조장하는 그런 책이 정진에 방해될 것은 물론이다. 만약 그때 분서의 일이 없었다면 책에 짓눌려 살았을지도 모른다.

또 한번은 이런 일이 있었다. 찬거리가 떨어져 아랫마을에 내려갔다가 낮 공양 지을 시간이 예정보다 십 분쯤 늦었다. 선사는 엄숙한 어조로 "오늘은 단식이다. 그렇게 시간 관념이 없어서 되겠니?" 하는 것이었다. 선사와 나는 그 시절 아침에는 죽을, 점심때는 밥을 먹고, 오후에는 전혀 먹지 않고 지냈었다. 내 불찰로 인해 노사老師를 굶게 한 가책은 그때뿐 아니라 두고두고 나를 일깨웠다.

이러한 자기 형성의 도량을 차마 들를 수가 없었던 것이다. 보나마나 관광지로 주저앉았을, 고시 준비를 위한 사람들의 별장쯤으로 빛이 바래져 있을 것이기 때문이다.

나그네 길에 오르면 자기 영혼의 무게를 느끼게 된다. 무슨 일을 어떻게 하며 지내고 있는지, 자신의 속얼굴을 들여다볼 수 있다. 그렇다면 여행이 단순한 취미일 수만은 없다. 자기 정리의 엄숙한 도정이요, 인생의 의미를 새롭게 하는 그러한 계기가 될 것이다. 그리고 이 세상을 하직하는 연습이 될 수도 있을 것이다. 1971

그 여름에 읽은 책

가을을 독서의 계절로 못박아 놓고들 있지만 사실 가을은 독서하기에 가장 부적당한 계절이다. 날씨가 너무 청청하기 때문이다. 그리고 엷어 가는 수목의 그림자가 우리들을 먼 나그네 길로 자꾸만 불러내기 때문이다. 푸르디 푸른 하늘 아래서 책장이나 뒤적이고 있다는 것은 아무래도 고리타분하다. 그것은 가을 날씨에 대한 실례다.

그리고 독서의 계절이 따로 있어야 한다는 것도 우습다. 아무 때고 읽으면 그때가 곧 독서의 계절이지. 여름엔 무더워서 바깥일을 할 수 없으니 책이나 읽는 것이다. 가벼운 속옷바람으로 돗자리를 내다 깔고 죽침이라도 있으면 제격일 것이다. 수고롭게 찾아나설 것 없이 출렁거리는 바다와 계곡이 흐르는 산을 내 곁으로 초대하면 된다.

8,9년 전이던가, 해인사 소소산방笑笑山房에서 〈화엄경 십회향품+廻向品〉을 독송하면서 한여름 무더위를 잊은 채 지낸 적이 있다. 그해 운허노사耘虛老師에게서 〈화엄경〉 강의를 듣다가 〈십회향품〉에 이르러 보살의 지극한 구도 정신에 감동한 바 있었다. 언젠가 틈을 내어 〈십회향품〉만을 따로 정독하리라 마음 먹었더니 그 여름에 시절 인연이 도래했던 것이다.

조석으로 장경각藏經閣에 올라가 업장業障을 참회하는 예배를 드리고 낮으로는 산방에서 독송을 했었다. 산방이라지만 방 하나를 칸막아 쓰니 협착했다. 서까래가 내다뵈는 조그만 들창과 드나드는 문이 하나밖에 없는 방, 그러니 여름이 아니라도 답답했다. 그래도 저 디오게네스의 통 속보다는 넓다고 자족했었다. 또 한 가지 고마운 것은 앞산이 내다보이는 전망이었다. 그것은 3백 호쯤 되는 화폭이었다.

〈화엄경〉은 80권이나 되는 방대한 경전이다. 〈십회향품〉은 그 중 아홉 권으로 되어 있다. 한여름 그 비좁은 방에서 가사와 장삼을 입고 단정히 앉아 향을 사르며 경을 펼쳤다. 먼저 개경게開經偈를 왼다.

"더없이 심오한 이 법문 / 백천만 겁에 만나기 어려운데 / 내가 이제 보고 듣고 외니 / 여래의 참뜻을 바로 알아지이다."

경은 실차난타實叉難陀(652~710) 한역漢譯의 목판본으로 읽었다. 요즘은 한글대장경으로 번역이 나와 있지만 그때는 번역이 없었다. 한글 번역이 있다 하더라도 표의문자가 주는 여운이며 목판본으로 읽는 그 유연한 맛은 비교될 수 없다. 더러는 목청을 돋구어 읽기도 하고 한 자 한 자 짚어 가며 목독하기도 했었다.

비가 올 듯한 무더운 날에는 돌담 밖에 있는 정랑淨廊(변소)에서 역겨운 냄새가 풍겨 왔다. 그런 때는 내 몸 안에도 자가용 변소가 있지 않느냐, 사람의 양심이 썩는 냄새보다는 그래도 낫지 않느냐, 이렇게 생각하면 아무렇지도 않았다. 일체가 유심소조唯心所造.

저녁 공양 한 시간쯤 앞두고 자리에서 일어서면 가사 장삼에 땀이 흠뻑 배고 깔았던 방석이 축축히 젖어 있었다. 비로소 덥다는 분별이 고개를 든다. 골짜기로 나가 훨훨 벗어젖히고 시냇물에 잠긴다. 이내 더위가 가시고 심신이 날듯이 가벼워진다. 모든 것에 감사하고 싶은 마음이 부풀어오른다.

이렇게 해서 그해 여름 〈십회향품〉을 10여 회 독송했는데 읽을수록 새롭고 절절했었다. 누가 시켜서 한 일이라면 그렇게 못 했을 것이다. 스스로 우러나서 한 일이라 환희로 충만할 수 있었다.

읽는다는 것은 무엇일까?

다른 목소리를 통해 나 자신의 근원적인 음성을 듣는 일이 아닐까. 1972

잊을 수 없는 사람

수연水然 스님! 그는 정다운 도반이요, 선지식이었다. 자비가 무엇인가를 입으로 말하지 않고 몸소 행동으로 보여 준 그런 사람이었다. 길가에 무심히 피어 있는 이름 모를 풀꽃이 때로는 우리의 발길을 멈추게 하듯이, 그는 사소한 일로써 나를 감동케 했다.

수연 스님! 그는 말이 없었다. 항시 조용한 미소를 머금고 있을 뿐, 묻는 말에나 대답을 하였다. 그러한 그를 15년이 지난 지금도 잊을 수가 없다. 아니 잊혀지지 않는 얼굴이다.

1959년 겨울, 나는 지리산 쌍계사 탑전에서 혼자 안거를 하려고 준비를 하고 있었다. 준비래야 삼동三冬 안거 중에 먹을 식량과 땔나무, 그리고 약간의 김장이었다. 모시고 있던 은사 효봉 선사가 그해 겨울 네팔에서 열리는 세계 불교도 대회에 참석차 떠나셨기 때문에 나는 혼자서 지낼 수밖에 없었다.

음력 시월 초순 하동 악양이라는 농가에 가서 탁발을 했다. 한 닷새 한 걸로 겨울철 양식이 되기에는 넉넉했다. 탁발을 끝내고 돌아오니 텅 비어 있어야 할 암자에 저녁 연기가 피어오르고 있었다.

걸망을 내려놓고 부엌으로 가 보았다. 낯선 스님이 한 분 불을 지피고 있었다. 나그네 스님은 누덕누덕 기운 옷에 해맑은 얼굴, 조용한 미소를 머금고 합장을 했다. 그때 그와 나는 결연結緣이 되었던 것이다. 사람은 그렇게 순간적으로 맺어질 수 있는 모양이다. 피차가 출가한 사문沙門이기 때문에 더욱 그랬다.

지리산으로 겨울을 나러 왔다는 그의 말을 듣고 나는 반가웠다. 혼자서 안거하기란 자유로울 것 같지만, 정진하는 데는 장애가 많다. 더구나 출가의 연조가 짧은 그때의 나로서는 혼자 지내다가는 잘못 게을러질 염려가 있었기 때문이다.

시월 보름 동안거冬安居에 접어드는 결제일結制日에 우리는 몇 가지 일을 두고 합의를 해야만 했다. 그는 모든 일을 내 뜻에 따르겠다고 했다. 하지만 정진하는 데는 주객이 있을 수 없다. 단둘이 지내는 생활일지라도 둘의 뜻이 하나로 묶여야만 원만히 지낼 수 있다. 그는 전혀 자기 뜻을 세우지 않았다. 그대로 따르겠다는 것이다.

육신의 나이는 나보다 한 살 모자랐지만, 출가는 그가 한 해 더 빨랐다. 그는 학교 교육은 많이 받은 것 같지 않았으나 천성이 차분한 인품이었다. 어디가 고향이며 어째서 출가했는지 서로가 묻지 않는 것이 승가의 예절임을 아는 우리들은 지나온 자취 같은 것은 알 수가 없다. 그리고 알 필요도 없다.

다만 그 사람의 언행이나 억양으로 미루어 교양과 출신지를 짐작할 따름이다. 그는 나처럼 호남 사투리를 쓰고 있었다. 그리고 그는 소화 기능이 안 좋은 것 같았다.

나는 공양주供養主(밥 짓는 소임)를 하고 그는 국과 찬을 만드는 채공菜供을 보기로 했다. 국을 끓이고 찬을 만드는 그의 솜씨는 보통이 아니었다. 시원치 않은 감일지라도 그의 손을 거치면 감로미甘露味가 되었다. 나는 법당과 정랑의 청소를 하고 그는 큰방과 부엌을 맡기로 했다. 그리고 우리는 하루 한 끼만 먹고 참선만을 하기로 했었다.

그때 우리는 초발심한 풋내기 사문들이라 계율에 대해서는 시퍼랬고 바깥일에 팔림이 없이 정진만을 열심히 하려고 했다.

그해 겨울 안거를 우리는 무사히 마칠 수 있었다. 그 뒤에 안 일이지만 아무런 장애 없이 순일하게 안거를 보내기란 결코 쉬운 일이 아니다.

이듬해 정월 보름은 안거가 끝나는 해제일. 해제가 되면 함께 행각을 떠나 여기저기 절 구경을 다니자고 우리는 그 해제 철을 앞두고 마냥 부풀어 있었다.

그런데 해제 전날부터 나는 시름시름 앓기 시작했다. 며칠 전에 찬물로 목욕한 여독인가 했더니, 열이 오르고 구미가 뚝 끊어졌다. 그리고 자꾸만 오한이 드는 것이었다. 해제는 되었어도 길을 떠날 수가 없었다.

산에서 앓으면 답답하기 짝이 없다. 수행자는 성할 때도 늘 혼자지만 앓게 되면 그런 사실이 구체적으로 느껴진다. 약이 있는 것도 아니고 가까이에 의료기관도 없다. 그저 앓을 만큼 앓다가 낫기를 바랄 뿐이다. 그리고 그때 우리는 철저하게 무소유였다. 밤이면 헛소리를 친다는 내 머리맡에서 그는 줄곧 앉아 있었다. 목이 마르다고 하면 물을 떠오고, 이마에 찬 물 수건을 갈아 주느라고 자지 않았다.

그러던 어느 날 아침, 그는 잠깐 아랫 마을에 다녀오겠다고 나가더니 한낮이 되어도 돌아오지 않았다. 해가 기울어도 감 감 소식이었다. 쑤어 둔 죽을 저녁까지 먹었다. 나는 몹시 궁금했다.

밤 열 시 가까이 되어 부엌에서 인기척이 났다. 그새 나는 잠이 들었던 모양이다. 그가 방문을 열고 들어올 때 그의 손에 는 약사발이 들려 있었다. 너무 늦었다고 하면서 약을 마시라 는 것이다. 이때의 일을 나는 잊을 수가 없다. 그의 헌신적인 정성에 나는 어린애처럼 울고 말았다. 그때 그는 말없이 내 손을 꼬옥 쥐어 주었다.

암자에서 가장 가까운 약국이래야 40여 리 밖에 있는 구례읍이다. 그 무렵의 교통 수단이라고는 구례 장날에만 장꾼을 싣고 다니는 트럭이 있었을 뿐이다. 그날은 장날도 아니었다. 그는 장장 80리 길을 걸어서 다녀온 것이다.

서로가 돈 한 푼 없는 처지임을 알고 있었다. 그는 구례까지 걸어가 탁발을 하였으리라. 그 돈으로 약을 지어온 것이다. 머나먼 밤길을 걸어와 약을 달였던 것이다.

자비가 무엇인가를 나는 평생 처음 온 심신으로 절절하게 느낄 수 있었다. 그리고 도반의 정이 어떤 것인지도 비로소 체험할 수 있었다. 그토록 간절한 정성에 낫지 않을 병이 어디 있겠는가. 다리가 좀 휘청거리긴 했지만, 그 다음날로 나는 거동하게 되었다.

그때 우리가 거처하던 암자에서 5리 남짓 깊숙이 올라가면 폭포 곁에 토굴을 짓고 참선하는 노스님 한 분이 계셨다. 노스님이 무슨 볼일로 동구 밖에 다녀올라치면 으레 우리들 처소에 들르곤 했다. 그때마다 노스님이 메고 온 걸망은 노스님보다 먼저 토굴에 가 있었다. 그가 아무 말도 없이 져다 주기 때문이었다. 그는 이렇듯 무슨 일이고 그가 할 만한 일이면 말없이 선뜻 해치웠다.

한동안 우리는 만나지 못한 채 각기 운수雲水의 길을 걸었다. 서신 왕래마저 없으니 어디서 지내는지 서로가 알 길이 없었다. 운수들 사이는 무소식이 희소식으로 통했다. 세상에서 보면 어떻게 그리 무심할 수 있느냐 하겠지만, 서로가 공부하는 데 방해를 끼치지 않도록 배려해서다.

인정이 많으면 도심道心이 성글다는 옛 선사들의 말을 빌릴 것도 없이, 집착은 우리를 부자유하게 만든다. 해탈이란 온갖 얽힘으로부터 벗어난 자유자재의 경지를 말한다. 그런데 그 얽힘의 원인은 다른 데 있지 않고 집착에 있는 것이다. 물건에 대한 집착보다도 인정에 대한 집착은 몇 곱절 더 질기다. 출가는 그러한 집착의 집에서 떠남을 뜻한다. 그러기 때문에 출가한 사문들은 어느 모로 보면 비정하리만큼 금속성에 가깝다.

그러나 그러한 냉기는 어디까지나 긍정의 열기로 향하는 부정의 단계다. 긍정의 지평에 선 보살의 자비는 봄볕처럼 따사롭다.

내가 해인사로 들어가 퇴설선원堆雪禪院에서 안거하던 여름, 들려오는 풍문에 그는 오대산 상원사에서 기도를 하고 있다고 했다. 여름 살림이 끝나면 그를 찾아가 보리라 마음 먹고 있었더니, 그가 먼저 나를 찾아왔다. 지리산에서 헤어진 뒤 다시 만나게 된 우리는 서로 반겼다. 그는 여전히 조용한 미소를 머금고 있었다. 함께 있을 때보다 안색이 못했다. 앓았느냐고 물으니 소화가 잘 안 된다고 했다. 그럼 약을 먹어야 하지 않겠느냐 했더니 괜찮다고 했다. 그가 퇴설당에 온 후로 섬돌 위에는 전에 없이 변화가 일기 시작했다. 여남은 켤레 되는 고무신이 한결같이 하얗게 닦이어 가지런히 놓여 있곤 했다. 물론 그의 밀행密行이었다.

노스님들이 빨려고 옷가지를 벗어 놓으면 어느새 말끔히 빨아 풀먹여 다려 놓기도 했다. 이러한 그를 보고 스님들은 '자비 보살'이라 불렀다.

그는 공양을 형편없이 적게 하였다. 물론 이제는 우리도 삼시 세 끼를 스님들과 함께 먹고 지냈다. 어느 날 나는 사무실에 말하고 그를 억지로 데리고 대구로 나갔다. 아무래도 그의 소화기가 심상치 않았다. 진찰을 받고 약을 써야 할 것 같았다.

버스 안에서였다. 그는 호주머니에서 주머니 칼을 꺼내더니 창틀에서 빠지려는 나사못 두 개를 죄어 놓았다. 무심히 보고 있던 나는 속으로 감동했다. 그는 이렇듯 사소한 일로 나를 흔들어 놓았다. 그에게는 내 것이네 남의 것이네 하는 분별이 없는 것 같았다. 어쩌면 모든 것을 자기 것이라 생각했는지 모른다. 그러기 때문에 사실은 하나도 자기 소유가 아니다. 그는 실로 이 세상의 주인이 될 만한 사람이었다.

그해 겨울 우리는 해인사에서 함께 지내게 되었다. 그의 건

강을 걱정한 스님들은 그를 자유롭게 지내도록 딴 방을 쓰라고 했다. 그러나 그는 대중과 똑같이 큰방에서 정진하고 울력(작업)에도 빠지는 일이 없었다.

그러다가 반 살림(안거 기간의 절반)이 지날 무렵 해서 그는 더 버틸 수가 없도록 약해졌다. 치료를 위해서는 산중보다 시처가 편리하다. 진주에 있는 포교당으로 그를 데리고 갔었다. 거기에 묵으면서 치료를 받도록 하기 위해서였다. 사흘이 지나자 그는 나더러 안거중이니 어서 돌아가라고 했다. 그의 병세가 많이 회복된 것을 보고 친분이 있는 포교당 주지 스님과 신도 한 분에게 간호를 부탁했다. 그가 하도 나를 걱정하는 바람에 나는 일주일 만에 귀사했다.

두고 온 그가 마음에 걸렸다. 전해 오는 소식에는 많은 차도가 있다고 했지만.

그 겨울 가야산에는 눈이 많이 내렸다. 한 주일 남짓 교통이 두절될 만큼 내려 쌓였다. 밤이면 이 골짝 저 골짝에서 나무 넘어지는 소리가 요란했다. 아름드리 소나무가 눈에 꺾인 것이다.

그 고집스럽고 정정한 소나무들이 한 송이 두 송이 쌓이는 눈의 무게에 못 이겨 꺾이고 마는 것이다.

모진 비바람에도 끄덕 않던 나무들이 부드러운 것 앞에 꺾이는 오묘한 이치를 산에서는 역력히 볼 수 있었다.

꺾여진 나무를 져 들이다가 나는 바른쪽 손목을 삐었다. 한동안 침을 맞는 둥 애를 먹었다. 그 무렵 나는 조그만 소포를 하나 받았다. 펼쳐 보니 삔 데 바르는 약이 들어 있었다. 어떻게 알았는지 그가 사 보낸 것이다. 말이 없는 그는 사연도 띄우지 않은 채였다.

나는 슬픈 그의 최후를 되새기고 싶지 않다. 그가 떠난 뒤 분명히 그는 나의 한 분신이었음을 알 것 같았다. 함께 있던 날짜는 일 년도 못 되지만 그는 많은 가르침을 남겨 주고 갔다. 그 어떤 선사보다도, 다문多聞의 경사經師보다도 내게는 진정한 도반이요, 밝은 선지식이었다.

구도의 길에서 안다는 것은 행行에 비할 때 얼마나 보잘 것 없는 것인가. 사람이 타인에게 영향을 끼치는 것은 지식이나 말에 의해서가 아님을 그는 깨우쳐 주었다. 맑은 시선과 조용한 미소와 따뜻한 손길과 그리고 말이 없는 행동에 의해서 혼과 혼이 마주치는 것임을 그는 몸소 보여 주었다.

수연! 그 이름처럼 그는 자기 둘레를 항상 맑게 씻어 주었다. 평상심平常心이 도道임을 행동으로 보였다. 그가 성내는 일을 나는 한번도 본 적이 없다. 그는 한 말로 해서 자비의 화신이었다.

그를 생각할 때마다 사람은 오래 사는 것이 문제가 아니라 어떻게 사느냐가 문제로 떠오른다. 1970

미리 쓰는 유서

죽게 되면 말없이 죽을 것이지 무슨 구구한 이유가 따를 것인가. 스스로 목숨을 끊어 지레 죽는 사람이라면 의견서(유서)라도 첨부되어야겠지만, 제 명대로 살 만치 살다가 가는 사람에겐 그 변명이 소용될 것 같지 않다. 그리고 말이란 늘 오해를 동반하게 마련이므로, 유서에도 오해를 불러일으킬 소지가 있다.

그런데 죽음은 어느 때 나를 찾아오는지 알 수 없는 일이다. 그 많은 교통사고와 가스 중독과 그리고 원한의 눈길이 전생의 갚음으로라도 나를 쏠는지 알 수 없다. 우리가 살아가고 있다는 것이 죽음 쪽에서 보면 한 걸음 한 걸음 죽어 오고 있다는 것임을 상기할 때, 사는 일은 곧 죽는 일이며, 생과 사는 결코 절연된 것이 아니다. 죽음이 언제 어디서 내 이름을 부를지라도 "네" 하고 선뜻 털고 일어설 준비만은 되어 있어야 할 것이다.

그러므로 나의 유서는 남기는 글이기보다 지금 살고 있는 '생의 백서白書'가 되어야 한다. 그리고 이 육신으로서는 일회적일 수밖에 없는 죽음을 당해서도 실제로는 유서 같은 걸 남길 만한 처지가 못 되기 때문에 편집자의 청탁에 산책하는 기분으로 따라 나선 것이다.

누구를 부를까? 유서에는 흔히 누구를 부르던데?

아무도 없다. 철저하게 혼자였으니까. 설사 지금껏 귀의해 섬겨 온 부처님이라 할지라도 그는 결국 타인이다. 이 세상에 올 때도 혼자서 왔고 갈 때도 나 혼자서 갈 수밖에 없다. 내 그림자만을 이끌고 휘적휘적 삶의 지평을 걸어왔고 또 그렇게 걸어갈 테니 부를 만한 이웃이 있을 리 없다.

물론 오늘까지도 나는 멀고 가까운 이웃들과 서로 왕래를 하며 살고 있다. 또한 앞으로도 그렇게 살아갈 것이다. 하지만 생명 자체는 어디까지나 개별적인 것이므로 인간은 저마다 혼자일 수밖에 없다. 그것은 보랏빛 노을 같은 감상이 아니라 인간의 당당하고 본질적인 실존이다.

고뇌를 뚫고 환희의 세계로 지향한 베토벤의 음성을 빌리지 않더라도, 나는 인간의 선의지善意志 이것밖에는 인간의 우월성을 인정하고 싶지 않다. 온갖 모순과 갈등과 증오와 살육으로 뒤범벅이 된 이 어두운 인간의 촌락에 오늘도 해가 떠오르는 것은 오로지 그 선의지 때문이 아니겠는가.

그러므로 세상을 하직하기 전에 내가 할 일은 먼저 인간의 선의지를 저버린 일에 대한 참회다. 이웃의 선의지에 대해서 내가 어리석은 탓으로 저지른 허물을 참회하지 않고는 눈을 감을 수 없을 것이다.

때로는 큰 허물보다 작은 허물이 우리를 괴롭힐 때가 있다. 허물이란 너무 크면 그 무게에 짓눌려 참괴慙愧의 눈이 멀고 작을 때에만 기억에 남는 것인가. 어쩌면 그것은 지독한 위선일지도 모르겠다. 그러나 나는 평생을 두고 그 한 가지 일로 해서 돌이킬 수 없는 후회와 자책을 느끼고 있다. 그것은 그림자처럼 따라다니면서 문득문득 나를 부끄럽고 괴롭게 채찍질했다.

중학교 1학년 때, 같은 반 동무들과 어울려 집으로 돌아오던 길에서였다. 엿장수가 엿판을 내려놓고 땀을 들이고 있었다. 그 엿장수는 교문 밖에서도 가끔 볼 수 있으리만큼 낯익은 사람인데 그는 팔 하나가 없고 말을 더듬는 불구자였다. 대여섯 된 우리는 그 엿장수를 둘러싸고 엿가락을 고르는 체하면서 적지 않은 엿을 슬쩍슬쩍 빼돌렸다. 돈은 서너 가락치밖에 내지 않았다. 불구인 그는 그런 영문을 전혀 모르고 있었다.

이 일이, 돌이킬 수 없는 이 일이 나를 괴롭히고 있다. 그가 만약 넉살 좋고 건장한 엿장수였더라면 나는 벌써 그런 일을 잊어 버리고 말았을 것이다. 그런데 그가 장애자라는 점에서 지워지지 않은 채 자책은 더욱 생생하다.

내가 이 세상에 살면서 지은 허물은 헤아릴 수 없이 많다. 그 중에는 용서받기 어려운 허물도 적지 않을 것이다. 그런데 무슨 까닭인지 그때 저지른 그 허물이 줄곧 그림자처럼 나를 쫓고 있다.

이 다음 세상에서는 다시는 더 이런 후회스런 일이 되풀이되지 않기를 진심으로 빌며 참회하지 않을 수 없다. 내가 살아생전에 받았던 배신이나 모함도 그때 한 인간의 순박한 선의지를 저버린 과보라 생각하면 능히 견딜 만한 것이다.

"날카로운 면도날은 밟고 가기 어렵나니, 현자가 이르기를 구원을 얻는 길 또한 이같이 어려우니라."

〈우파니샤드〉의 이 말씀을 충분히 이해할 것 같다.

내가 죽을 때에는 가진 것이 없을 것이므로 무엇을 누구에게 전한다는 번거로운 일도 없을 것이다. 본래무일물本來無一物은 우리들 사문의 소유 관념이다. 그래도 혹시 평생에 즐겨 읽던 책이 내 머리맡에 몇 권 남는다면, 아침 저녁으로 "신문이오" 하고 나를 찾아 주는 그 꼬마에게 주고 싶다.

장례식이나 제사 같은 것은 아예 소용없는 일. 요즘은 중들이 세상 사람들보다 한술 더 떠 거창한 장례를 치르고 있는데,

그토록 번거롭고 부질없는 검은 의식이 만약 내 이름으로 행해진다면 나를 위로하기는커녕 몹시 화나게 할 것이다. 평소의 식탁처럼 나는 간단명료한 것을 따르고자 한다. 내게 무덤이라도 있게 된다면 그 차가운 빗돌 대신 어느 여름날 아침에 좋아하게 된 양귀비꽃이나 모란을 심어 달라 하겠지만, 무덤도 없을 테니 그런 수고는 끼치지 않을 것이다.

생명의 기능이 나가 버린 육신은 보기 흉하고 이웃에게 짐이 될 것이므로 조금도 지체할 것 없이 없애 주었으면 고맙겠다. 그것은 내가 벗어 버린 헌옷이니까. 물론 옮기기 편리하고 이웃에게 방해되지 않을 곳이라면 아무데서나 다비茶毘(화장)해도 무방하다. 사리 같은 걸 남겨 이웃을 귀찮게 하는 일을 나는 절대로 절대로 하고 싶지 않다.

육신을 버린 후에는 훨훨 날아서 가고 싶은 곳이 있다. '어린 왕자'가 사는 별나라 같은 곳이다. 의자의 위치만 옮겨 놓으면 하루에도 해지는 광경을 몇 번이고 볼 수 있다는 아주 조그만 그런 별나라. 가장 중요한 것은 마음으로 봐야 한다는 것을 안 왕자는 지금쯤 장미와 사이좋게 지내고 있을까. 그런 나라에는 귀찮은 입국사증 같은 것도 필요없을 것이므로 한번 가보고 싶다.

그리고 내생에도 다시 한반도에 태어나고 싶다. 누가 뭐라한대도 모국어에 대한 애착 때문에 나는 이 나라를 버릴 수 없

다. 다시 출가 수행자가 되어 금생에 못 다한 일들을 하고 싶
다. 1971

인형과 인간

1

내 생각의 실마리는 흔히 버스 안에서 이루어진다. 출퇴근 시간의 붐비는 시내 버스 안에서 나는 삶의 밀도 같은 것을 실감한다. 선실禪室이나 나무 그늘에서 하는 사색은 한적하긴 하지만 어떤 고정관념에 갇혀 공허하거나 무기력해지기 쉬운데 달리는 버스 안에서는 살아 움직이고 있다는 생동감을 느낄 수 있다.

종점을 향해 계속해서 달리고 있는 버스는 그 안에 실려 가는 우리들에게 인생의 의미를 적잖게 부여하고 있다. 산다는 일이 일종의 연소요, 자기 소모라는 표현에 공감이 간다. 그리고 함께 타고 가는 사람들의 그 선량한 눈매들이, 저마다 무슨 생각에 잠겨 무심히 창밖을 내다보는, 그래서 조금은 외롭게 보이는 그 눈매들이 나 자신을 맑게 비추고 있다. 그 눈매들은 연대감을 갖게 한다. 이 시대와 사회에서 기쁨과 아픔을 함께 하고 있다는 그러한 연대감을 갖게 한다.

나는 얼마 전부터 아무리 바쁜 일이 있더라도 택시를 타지 않는다. 탈 줄을 몰라서가 아니라 타고 싶지가 않아서다. 주머니 실력도 실력이지만, 제멋대로 우쭐대는 물가의 그 콧대에 내 나름으로 저항하기 위해서다. 그리고 보다 중요한 이유는 택시 안에서는 연대감을 느낄 수 없다는 점이다. 돈을 더 내면 편하고 신속하게 나를 운반해 주겠지만, 그때마다 이웃과의 단절을 번번이 느끼게 된다. 붐비는 차 속에서 더러는 구둣발에 밟히기도 하고 옷고름이 타지는 수도 있지만 그런 데서 도리어 생명의 활기 같은 것을 느낄 수 있어 견딜 만하다.

그리고 버스를 타면 운전사와 승객 사이의 관계를 통해 새삼스레 공동 운명체 같은 것을 헤아리게 된다. 그가 딴전을 부린다거나 운전을 위태롭게 한다면 그로 인한 피해는 우리 모두의 것이 된다. 그러기 때문에 그의 기술과 노고를 인정하면서도 차를 제대로 몰고 가는지, 당초의 약속대로 노선을 지키면서 가는지에도 무관심할 수 없다. 머리 위에서 고래고래 뿜어대는 유행가와 우습지도 않은 만담이 우리를 몹시 피곤하게 하지만 운전사가 좋아하는 것일 테니 참고 견딜 수밖에 없다.

끝없는 인내는 다스림을 받는 우리 소시민들의 차지이니까.

2

사람을 흙으로 빚었다는 종교적인 신화는 여러 가지로 상징적인 의미가 있을 것이다. 고대 인도인들도 우리들 신체의 구성 요소로 흙과 물과 불과 바람을 들고 있는데, 쇠붙이나 플라스틱을 쓰지 않고 흙으로 만들었다는 데는 그만한 의미가 있을 것이다.

우리에게 대지는 영원한 모성, 흙에서 음식물을 길러내고 그 위에다 집을 짓는다. 그 위를 직립 보행하면서 살다가 마침내는 그 흙에 누워 삭아지고 마는 것이 우리들 인생의 생태다. 그리고 흙은 우리들 생명의 젖줄일 뿐 아니라 우리에게 많은 것을 가르쳐 준다. 씨앗을 뿌리면 움이 트고 잎과 가지가 펼쳐져 거기 꽃과 열매가 맺힌다. 생명의 발아 현상을 통해 불가시적인 영역에도 눈을 뜨게 한다.

그러기 때문에 흙을 가까이하면 자연 흙의 덕을 배워 순박하고 겸허해지며, 믿고 기다릴 줄을 안다. 흙에는 거짓이 없고, 추월과 무질서도 없다.

시멘트와 철근과 아스팔트에서는 생명이 움틀 수 없다. 비가 내리는 자연의 소리마저 도시는 거부한다. 그러나 흙은 비를, 그 소리를 받아들인다. 흙에 내리는 빗소리를 듣고 있으면 우리들 마음은 고향에 돌아온 것처럼 정결해지고 평온해진다. 어디 그뿐인가. 구두와 양말을 벗어 버리고 일구어 놓은 밭흙을 맨발로 감촉해 보라. 그리고 흙냄새를 맡아 보라. 그것은 약동하는 생의 기쁨이 될 것이다.

그런데 잘살겠다는 구실 아래 산업화와 도시화로 치닫고 있는 오늘의 문명은 자꾸만 흙을 멀리하려는 데 모순이 있다. 생명의 원천인 대지를 멀리하면서, 곡식을 만들어 내는 어진 농사꾼을 짓밟으면서 어떻게 잘 살 수 있을 것인가. 산다는 것은 추상적인 관념이 아니라 구체적인 현상이다. 따라서 어디에 뿌리를 내리고 있느냐에 의해 삶의 양상은 여러 가지로 달라질 것이다.

요즘의 식량난은 심상치 않은 일 같다. 그것이 세계적인 현상이고, 그 전망은 결코 밝을 수 없다고들 한다. 그 까닭을 늘어나는 인구에다만 돌려 버릴 성질의 것은 아니다.

흙을 더럽히고 멀리한 과보임에 틀림없을 것이다. 흙으로 빚어진 인간에게 인간의 실상이 무엇인가를 경고하는 소식은 아닐까. 어쩌면 다행한 일인지도 모르겠다. 눈먼 인류에게, 흙을 저버린 우리들에게 흙의 은혜를 거듭 인식케 할 계기가 된다면.

3

현대인들은 이전 사람들에 비해서 아는 것이 참 많다. 자기 전공 분야가 아니라도 신문, 잡지와 방송 등의 대량 매체를 통해 많은 것을 알게 된다. 그래서 똑똑하고 영리하기만 하다. 이해와 타산에 민감하고 겉과 속이 같지 않다. 매사에 약삭빠를 뿐 아니라 성급하고 참을성이 모자라는 현대인들에게서 끈기나 저력 혹은 신의 같은 것은 아예 기대할 수 없다. 물결에 씻긴 조약돌처럼 닳아질 대로 닳아져 매끈거린다.

한 선사의 논 치던 이야기를 생각해 보면 어리석음과 지혜로움이 결코 무연하지 않은 것임을 알 수 있다. 혜월 선사慧月禪師는 절 곁에 논을 쳤다. 쓸모없이 버려진 땅을 보고 논을 만들었으면 싶었다. 때마침 흉년이 들어 동구 사람들이 살기가 어렵게 된 것을 보고 그들을 불러다 일을 시킨다. 한 달 두 달이 걸려도 논은 쉽사리 이루어지지 않는다. 보는 사람마다 그 노임으로 더 많은 논을 살 수 있을 것이라고 만류하지만 끝내 굽히지 않는다. 마침내 그를 미친 노장이라고 비웃게 된다.

선사는 못 들은 체 날이 새면 일터에 나가 일꾼들과 어울려 일을 한다. 이와 같이 해서 몇 백 평의 논이 이루어졌다. 그런데 거기에 든 노임은 이루어진 논의 시세보다 몇 곱 더 들어갔다. 그러나 선사는 없던 논이 새로 생긴 것을 기뻐했다.

그는 세속적인 눈으로 볼 때 분명히 산술을 모르는 어리석은 사람이었다. 그런데 그 어리석음으로 해서 흉년에 많은 사람들이 굶주림을 면할 수 있었다. 그와 같은 사연이 깃들인 논이므로 절에서는 그 논을 단순한 땅마지기로서가 아니라 오늘날까지도 사풍寺風의 상징처럼 소중하게 여기고 있다.

한결같이 약고 닳아빠진 세상이기 때문에 그토록 어리석고 우직스런 일이 우리를 포근하게 감싸 준다. 대우大愚는 대지大智에 통한다는 말이 결코 빈말은 아닐 것이다.

4

어떤 종파를 가릴 것 없이, 오늘날 종교가 종교 본래의 기능을 다하지 못하고 있는 요인은 한 마디로 말하기 어렵도록 복합성을 띠고 있다.

지나간 성인들의 가르침은 하나같이 간단하고 명료했다. 들으면 누구나 다 알아들을 수 있는 내용이었다. 그런데 학자(이 안에는 물론 신학자도 포함되어야 한다)라는 사람들이 튀어나와 불필요한 접속사와 수식어로써 말의 갈래를 쪼개고 나누어 명료한 진리를 어렵게 만들어 놓았다. 어떻게 살아야 할 것인가에 대한 자기 자신의 문제는 묻어 둔 채, 이미 뱉어 버린 말의 찌꺼기를 가지고 시시콜콜하게 뒤적거리며 이러쿵저러쿵 따지려 든다. 생동하던 언행은 이렇게 해서 지식의 울 안에 갇히고 만다.

이와 같은 학문이나 지식을 나는 신용하고 싶지 않다. 현대인들은 자기 행동은 없이 남의 흉내만을 내면서 살려는 데에 맹점이 있다. 사색이 따르지 않는 지식을, 행동이 없는 지식인을 어디에다 쓸 것인가. 아무리 바닥이 드러난 세상이기로, 진리를 사랑하고 실현해야 할 지식인들까지 곡학아세曲學阿世와 비겁한 침묵으로써 처신하려 드니, 그것은 지혜로운 일이 아니라 진리에 대한 배반이다.

얼마만큼 많이 알고 있느냐는 것은 대단한 일이 못 된다. 아는 것을 어떻게 살리고 있느냐가 중요하다. 인간의 탈을 쓴 인형은 많아도 인간다운 인간이 적은 현실 앞에서 지식인이 할 일은 무엇일까. 먼저 무기력하고 나약하기만 한 그 인형의 집에서 나오지 않고서는 어떠한 사명도 할 수가 없을 것이다.

무학無學이란 말이 있다. 전혀 배움이 없거나 배우지 않았다는 뜻이 아니다. 학문에 대한 무용론도 아니다. 많이 배웠으면서도 배운 자취가 없는 것을 가리킴이다. 학문이나 지식을 코에 걸지 않고 지식 과잉에서 오는 관념성을 경계한 뜻에서 나온 말일 것이다. 지식이나 정보에 얽매이지 않은 자유롭고 발랄한 삶이 소중하다는 말이다. 여러 가지 지식에서 추출된 진리에 대한 신념이 일상화되지 않고서는 지식 본래의 기능을 다할 수 없다. 지식이 인격과 단절될 때 그 지식인은 사이비요 위선자가 되고 만다.

　책임을 질 줄 아는 것은 인간뿐이다. 이 시대의 실상을 모른 체하려는 무관심은 비겁한 회피요, 일종의 범죄다. 사랑한다는 것은 함께 나누어 짊어진다는 뜻이다. 우리에게는 우리 이웃의 기쁨과 아픔에 대해 나누어 가질 책임이 있다. 우리는 인형이 아니라 살아 움직이는 인간이다. 우리는 끌려가는 짐승이 아니라 신념을 가지고 당당하게 살아야 할 인간이다. 1974

녹은 그 쇠를 먹는다

'열 길 물 속은 알아도 한 길 사람 속은 모른다'는 속담이 있다. 사람의 마음처럼 불가사의한 것이 또 있을까. 너그러울 때는 온 세상을 두루 받아들이다가도, 한번 옹졸해지면 바늘 하나 꽂을 자리가 없는 것이 우리 마음이다. 그래서 가수들은 오늘도 "내 마음 나도 몰라……"라고 우리 마음을 대변한다. 자기 마음을 자신이 모른다니, 무책임한 소리 같다. 하지만, 이것은 평범하면서도 틀림이 없는 진리다.

사람들은 일터에서 많은 사람들을 대하게 된다. 어떤 사람과는 눈길만 마주쳐도 그날의 보람을 느끼게 되고, 어떤 사람은 그림자만 보아도 밥맛이 떨어지는 경우가 있다. 한정된 직장에서 대인관계처럼 중요한 몫은 없을 것이다. 모르긴 해도, 정든 직장을 그만두게 될 경우, 그 원인 중에 얼마쯤은 바로 이 대인 관계에 있지 않을까 싶다.

어째서 똑같은 사람인데 어느 놈은 곱고 어느 놈은 미울까. 종교적인 측면에서 보면 전생에 얽힌 사연들이 조명되어야 하겠지만, 상식의 세계에서 보더라도 무언가 그럴 만한 꼬투리가 있을 것이다. 원인없는 결과란 없는 법이다.

그렇다 하더라도 직장이 '외나무 다리'가 되어서는 안 된다. 우선 같은 일터에서 만나게 된 인연에 감사를 느껴야 한다. 이 세상에는 삼십 몇 억이나 되는 엄청난 사람들이 살고 있다. 그 중에도 동양, 또 그 속에서도 5천만이 넘는 한반도, 다시 분단된 남쪽, 서울만 하더라도 6백만이 넘는 사람들 가운데서 같은 직장에 몸담아 있다는 것은 정말 아슬아슬한 비율이다. 이런 내력을 생각할 때 우선 만났다는 인연에 감사하지 않을 수 없다.

아니꼬운 일이 있더라도 내 마음을 내 스스로가 돌이킬 수밖에 없다. 남을 미워하면 저쪽이 미워지는 게 아니라 내 마음이 미워진다. 아니꼬운 생각이나 미운 생각을 지니고 살아간다면, 그 피해자는 누구도 아닌 바로 나 자신이다. 하루하루를 그렇게 살아간다면 내 인생 자체가 얼룩지고 만다.

그러기 때문에 대인 관계를 통해서 우리는 인생을 배우고 나 자신을 닦는다. 회심回心, 즉 마음을 돌이키는 일로써 내 인생의 의미를 심화시켜야 한다.

맺힌 것은 언젠가 풀지 않으면 안 된다. 금생에 풀리지 않으면 그 언제까지 지속될지 알 수 없다. 그러니 직장은 그 좋은 기회일 뿐 아니라 친화력을 기르는 터전일 수 있다. 일의 위대성은 무엇보다도 사람들을 결합시키는 점일 것이다. 일을 통해서 우리는 맺어질 수 있다. 미워하는 것도 내 마음이고, 고와하는 것도 내 마음에 달린 것이다. 〈화엄경〉에서 일체유심조一切唯心造라고 한 것도 바로 이 뜻이다.

그 어떤 수도나 수양이라 할지라도 이 마음을 떠나서는 있을 수 없다. 그것은 마음이 모든 일의 근본이 되기 때문이다.

〈법구경〉에는 이런 비유가 있다.

"녹은 쇠에서 생긴 것인데 점점 그 쇠를 먹는다."

이와 같이 그 마음씨가 그늘지면 그 사람 자신이 녹슬고 만다는 뜻이다.

우리가 온전한 사람이 되려면, 내 마음을 내가 쓸 줄 알아야 한다. 그것은 우연히 되는 것이 아니고 일상적인 대인 관계를 통해서만 가능하다. 왜 우리가 서로 증오해야 한단 말인가. 우리는 같은 배를 타고 같은 방향으로 항해하는 나그네들 아닌가. 1973

영원한 산

산에서 사는 사람들이 산에 대한 향수를 지니고 있다면, 속 모르는 남들은 웃을지 모르겠다. 하지만 산승들은 누구보다도 산으로 내닫는 진한 향수를 지닌다. 이 산에 살면서 지나온 저 산을 그리거나 말만 듣고 아직 가 보지 못한 그 산을 생각한다.

사전에서는 산을 '육지의 표면이 주위의 땅보다 훨씬 높이 솟은 부분'이라고 풀이한다. 이러한 산의 개념을 보고 우리는 미소를 짓는다. 그것은 형식논리학의 답안지에나 씀직한 표정이 없는 추상적인 산이기 때문이다.

산에는 높이 솟은 봉우리만이 아니라 깊은 골짜기도 있다. 나무와 바위와 시냇물과 온갖 새들이며 짐승, 안개, 구름, 바람, 산울림 그리고 퇴락해 가는 고사古寺, 이밖에도 무수한 것들이 우리들의 상념과 한데 어울려 하나의 산을 이루고 있다.

산이 좋아 산에서 산다는 말이 있지만 그건 거짓이 아니다. 산이 싫어지면 산에서 살 수가 없다. 그러니 한번 산에 들어 살게 되면 그 산을 선뜻 떠나올 수 없는 애착이 생긴다.

산은 사철을 두고 늘 새롭다. 그 중에도 여름이 지나간 가을 철 산은 영원한 머시마인 우리들을 설레게 한다. 물든 잎이, 머루와 다래와 으름이 숲에서 손짓을 하고 있다. 그래서 일과 가 끝나는 가을날 오후에는 선원禪院이고 강원講院이고 절 안 이 텅 빈다. 다들 숲에 들어가 산짐승처럼 덩굴에 매달리기 때 문이다.

우수수 꿀밤이 떨어진다. 이 골짝 저 골짝에서 뭐라 지껄이 는 소리들이 귀에 익은 음성처럼 그토록 정답게 들려올 수가 없다. 이런 일들로 해서 산에서 사는 사람들한테서는 풋풋한 산 냄새가 난다.

예전 수도승들은 살던 산이 단조로워지면 도반들 곁을 떠나 더욱 깊은 산을 찾아 홀로 나섰다. 벼랑 아래 삼간 초막을 짓 고 아무것도 가진 것 없이 자연을 벗삼아 도심道心을 닦았다.

흰구름 무더기 속에 삼간 초막 있어
앉고 눕고 거닐기에 저절로 한가롭다
차가운 시냇물은 반야般若를 노래하고
맑은 바람 달과 어울려 온몸에 차다.

이런 경지는 고려 말 나옹 선사뿐 아니라 산을 알고 도를 아는 사람이면 누구나 누릴 수 있는 출세간出世間의 풍류다. 깊은 산이라 온종일 사람 그림자 끊이고 홀로 초막에 앉아 만사를 쉬어 버린 것이다. 서너 자 높이의 사립을 반쯤 밀어 닫아 두고, 고단하면 자고 주리면 먹으면서 시름없이 지내는 것은 단순한 은둔을 즐기기 위해서가 아니다. 시절 인연이 오면 사자후獅子吼를 토하기 위한 침묵의 수업이다.

숲과 새들이 있고 감로천甘露泉이며 연못이 있는 우리 다래헌茶來軒이지만 무더운 여름날이면 문득문득 산 생각이 난다. 그때마다 시냇물 소리를 그리워하며 속으로 앓는다. 훌쩍 찾아갈 산이 없어 날개가 접히고 만다. 요즘의 산사에서는 그 풋풋한 산 냄새를 맡을 수가 없다. 관광 한국의 깃발 아래 그 그윽한 분위기가 사라져가고 있다.

이래서 뜻있는 수도승들은 명산 대찰名山大刹을 등지고 이름없는 산야에 묻힌다. 도시의 공해로 인해 새들이 어디론가 사라져가듯이.

안타까운 일이다. 정말 안타까운 일이다. 1973

침묵의 의미

현대는 말이 참 많은 시대다. 먹고 뱉어 내는 것이 입의 기능이긴 하지만, 오늘의 입은 불필요한 말들을 뱉어 내느라고 그 어느 때보다도 많은 수고를 하고 있다. 이전에는 사람끼리 마주보며 말을 나누었는데, 전자매체가 나오면서는 혼자서도 얼마든지 지껄일 수 있게 되었다.

민주공화국인 대한민국에서는 유언비어나 긴급조치에 위배만 되지 않는다면, 그리고 다스리는 사람들의 비위에 거스르지만 않는다면, 그 말의 내용이 아첨이건 거짓이건 혹은 협박이건 욕지거리건간에 마음대로 지껄일 수 있다. 가위 언론의 자유가 보장된 풍토이다.

그런데 말이 많으면 쓸 말이 별로 없다는 것이 우리들의 경험이다. 하루하루 나 자신의 입에서 토해지는 말을 홀로 있는 시간에 달아 보면 대부분 하잘것없는 소음이다. 사람이 해야 할 말이란 꼭 필요한 말이거나 '참말'이어야 할 텐데 불필요한 말과 거짓말이 태반인 것을 보면 우울하다. 시시한 말을 하고 나면 내 안에 있는 빛이 조금씩 새어 나가는 것 같아 말끝이 늘 허전해진다.

좋은 친구란 무엇으로 알아볼 수 있을까를 가끔 생각해 보는데, 첫째 같이 있는 시간에 대한 의식으로 알 수 있을 것 같다. 같이 있는 시간이 지루하게 느껴지면 아닐 것이고, 벌써 이렇게 됐어? 할 정도로 같이 있는 시간이 빨리 흐른다면 그는 정다운 사이다. 왜냐하면 좋은 친구하고는 시간과 공간 밖에서 살기 때문이다. 우리들이 기도를 올려 보면 더욱 잘 알 수 있다. 기도가 순일하게 잘될 경우는 시공時空 안에서 살고 있는 일상의 우리이지만 분명히 시공 밖에 있게 되고, 그렇지 못할 때는 자꾸 시간을 의식하게 된다. 시간과 공간을 의식하게 되면 그건 허울뿐인 기도다.

우리는 또 무엇으로 친구를 알아볼 수 있을까. 그렇다, 말이 없어도 지루하거나 따분하지 않은 그런 사이는 좋은 친구일 것이다. 입 벌려 소리내지 않더라도 넉넉하고 정결한 뜰을 서로가 넘나들 수 있다. 소리를 입 밖에 내지 않을 뿐, 구슬처럼 영롱한 말이 침묵 속에서 끊임없이 오고 간다. 그런 경지에는 시간과 공간이 미칠 수 없다.

말이란 늘 오해를 동반하게 된다. 똑같은 개념을 지닌 말을 가지고도 의사소통이 잘 안 되는 것은 서로가 말 뒤에 숨은 뜻을 모르고 있기 때문이다. 엄마들이 아가의 서투른 말을 이내 알아들을 수 있는 것은 말소리보다 뜻에 귀기울이기 때문이다. 이렇듯 사랑은 침묵 속에서 이루어진다.

사실 침묵을 배경 삼지 않는 말은 소음이나 다를 게 없다. 생각없이 불쑥불쑥 함부로 내뱉는 말을 주워 보면 우리는 말과 소음의 한계를 알 수 있다. 오늘날 우리들의 입에서 토해지는 말씨가 지위 고하를 막론하고 자꾸만 거칠고 천박하고 야비해져 가는 현상은 그만큼 내면이 헐벗고 있다는 증거일 것이다. 안으로 침묵의 조명을 받고 있지 않기 때문이다.

따라서 성급한 현대인들은 자기 언어를 쓸 줄 모른다. 정치권력자들이, 탤런트들이, 가수가, 코미디언이 토해낸 말을 아무런 저항도 없이 그대로 주워서 흉내내고 있다. 그래서 골이 비어 간다. 자기 사유마저 빼앗기고 있다.

수도자들에게 과묵이나 침묵이 미덕으로 여겨지는 것도 바로 그 점에 문제가 있기 때문이다. 묵상을 통해서 우리는 우리 안에 고여 있는 말씀을 비로소 듣는다. 내면에서 들려오는 그 소리는 미처 편집되지 않은 성서다. 우리들이 성서를 읽는 본질적인 의미는 아직 활자화되어 있지 않은 그 말씀까지도 능히 알아듣고 그와 같이 살기 위해서가 아니겠는가.

我有一卷經(아유일권경)

不因紙墨成(불인지묵성)

展開無一字(전개무일자)

常放大光明(상방대광명)

사람마다 한 권의 경전이 있는데

그것은 종이나 활자로 된 게 아니다

펼쳐보아도 한 글자 없지만

항상 환한 빛을 발하고 있네.

불경에 있는 말이다. 일상의 우리들은 눈에 보이고 귀에 들리고 손에 잡히는 것으로써만 어떤 사물을 인식하려고 한다. 그러나 실체는 저 침묵처럼 보이지도 들리지도 잡히지도 않는 데에 있다. 자기 중심적인 고정관념에서 벗어나 허심탄회한 그 마음에서 큰 광명이 발해진다는 말이다.

참선을 하는 선원에서는 선실 안팎에 '묵언默言'이라고 쓴 표지가 붙어 있다. 말을 말자는 것. 말을 하게 되면 서로가 정진에 방해되기 때문이다. 집단 생활을 하다 보면 때로는 시와 비를 가리는 일이 있다. 시비를 따지다 보면 집중을 할 수 없다. 선은 순수한 집중인 동시에 철저한 자기 응시이다. 모든 시비와 분별망상을 떠나서만 삼매三昧의 경지에 들 수 있다.

말은 의사소통의 구실을 하지만 때로는 불필요한 잡음의 역

기능도 하고 있다. 구시화문口是禍門, 입을 가리켜 재앙의 문이라고 한 것도 그 역기능적인 면을 지적한 것이다. 어떤 선승들은 3년이고 10년이고 계속해서 묵언을 지키고 있다. 그가 묵언 중일 때는 대중에서도 그에게 말을 걸지 않는다.

수도자들이 이와 같이 침묵하는 것은 침묵 그 자체에 의미가 있어서가 아니다. 침묵이라는 여과 과정을 거쳐 오로지 '참말'만을 하기 위해서다. 침묵의 조명을 통해서 당당한 말을 하기 위해서다. 벙어리와 묵언자가 다른 점이 바로 여기에 있다.

칼릴 지브란은 우리들이 해야 할 말을 "목소리 속의 목소리로 귓속의 귀에" 하는 말이라고 했다. 사실 언어의 극치는 말보다도 침묵에 있다. 너무 감격스러울 때 우리는 말을 잃는다. 그러나 사람인 우리는 할말은 해야 한다.

그런데 마땅히 입 벌려 말을 해야 할 경우에도 침묵만을 고수하려는 사람들이 있다. 그것은 미덕이 아니라 비겁한 회피다. 그와 같은 침묵은 때로 범죄의 성질을 띤다. 옳고 그름을 가려 보여야 할 입장에 있는 사람들의 침묵은 비겁한 침묵이다. 비겁한 침묵이 우리 시대를 얼룩지게 한다.

침묵의 의미는 쓸데없는 말을 하지 않는 대신 당당하고 참된 말을 하기 위해서이지, 비겁한 침묵을 고수하기 위해서가 아니다. 어디에도 거리낄 게 없는 사람만이 당당한 말을 할 수 있다. 당당한 말이 흩어진 인간을 결합시키고 밝은 통로를 뚫

을 수 있다. 수도자가 침묵을 익히는 그 의미도 바로 여기에
있다. 1974

순수한 모순

6월을 장미의 계절이라고들 하던가. 그래 그런지, 얼마 전 가까이 있는 보육원에 들렀더니 꽃가지마다 6월로 향해 발돋움을 하고 있었다. 몇 그루를 얻어다 우리 방 앞뜰에 심었다. 단조롭던 뜰에 생기가 돌았다. 아침 저녁으로 물을 주노라면 모차르트의 청렬淸冽 같은 것이 옷깃에 스며들었다. 산그늘이 내릴 때처럼 아늑한 즐거움이었다.

오늘 아침 개화!

마침내 우주의 질서가 열린 것이다. 생명의 신비 앞에 서니 가슴이 뛰었다. 혼자서 보기가 아까웠다. 언젠가 접어 두었던 기억이 펼쳐졌다.

출판일로 서울에 올라와 안국동 선학원에 잠시 머무르고 있을 때였다. 어느 날 아침 전화가 걸려 왔다. 삼청동에 있는 한

스님한테서 속히 와 달라는 것이다. 무슨 일이냐고 하니 와서 보면 알 테니 어서 오라는 것이었다. 그 길로 허둥지둥 직행, 거기 화단 가득히 양귀비가 피어 있었다.

그것은 경이였다. 그것은 하나의 발견이었다. 꽃이 그토록 아름다운 것인 줄은 그때까지 정말 알지 못했다. 가까이 서기조차 조심스러운, 애처롭도록 연약한 꽃잎이며 안개가 서린 듯 몽롱한 잎새, 그리고 환상적인 그 줄기가 나를 온통 사로잡았다. 아름다움이란 떨림이요 기쁨이라는 사실을 실감했다.

이때부터 누가 무슨 꽃이 가장 아름답더냐고 간혹 소녀적인 물음을 해오면 언하에 양귀비꽃이라고 대답을 한다. 이 대답처럼 분명하고 자신만만한 확답은 없을 것이다. 그것은 절절한 체험이었기 때문이다. 하필 마약의 꽃이냐고 핀잔을 받으면, 아름다움에는 마력이 따르는 법이라고 응수를 한다.

이런 이야기를 우리 장미꽃이 들으면 좀 섭섭해 할지 모르지만, 그것은 그해 여름 아침 비로소 찾아낸 아름다움이었다. 그렇다 하더라도 내게는 오늘 아침에 문을 연 장미꽃이 그 많은 꽃 가운데 하나일 수 없다. 꽃가게 같은 데 피어 있을 그런 장미꽃과는 근본적으로 다르다. 이 꽃에는 내 손길과 마음이 배어 있기 때문이다. 생 텍쥐페리의 표현을 빌린다면, 내가 내 장미꽃을 위해 보낸 시간 때문에 내 장미꽃이 그토록 소중하게 된 것이다. 그건 내가 물을 주어 기른 꽃이니까, 내가 벌레를 잡아 준 것이 그 장미꽃이니까.

흙 속에 묻힌 한 줄기 나무에서 빛깔과 향기를 지닌 꽃이 피어난다는 것은 일대 사건이 아닐 수 없다. 이런 사건이야말로, 이 '순수한 모순'이야말로 나의 왕국에서는 호외號外감이 되고도 남을 만한 일이다. 1976

영혼의 모음
―어린 왕자에게 보내는 편지

1

어린 왕자!

지금 밖에서는 가랑잎 구르는 소리가 들린다. 창호에 번지는 하오의 햇살이 지극히 선하다.

이런 시각에 나는 티없이 맑은 네 목소리를 듣는다. 구슬 같은 눈매를 본다. 하루에도 몇 번씩 해 지는 광경을 바라보고 있을 그 눈매를 그린다. 이런 메아리가 울려온다.

"나하고 친하자, 나는 외롭다."

"나는 외롭다…… 나는 외롭다…… 나는 외롭다……."

어린 왕자!

이제 너는 내게서 무연한 남이 아니다. 한지붕 아래 사는 낯익은 식구다. 지금까지 너를 스무 번도 더 읽은 나는 이제 새삼스레 글자를 읽을 필요도 없어졌다. 책장을 훌훌 넘기기만 해도 네 세계를 넘어다 볼 수 있기 때문이다. 행간에 쓰여진 사연까지도, 여백에 스며 있는 목소리까지도 죄다 읽고 들을 수 있게 되었다.

몇 해 전, 그러니까 1965년 5월, 너와 마주친 것은 하나의 해후였다. 너를 통해서 비로소 인간 관계의 바탕을 인식할 수 있었고, 세계와 나의 촌수를 헤아리게 되었다. 그때까지 보이지 않던 사물이 보이게 되고, 들리지 않던 소리가 들리게 된 것이다. 너를 통해서 나 자신과 마주친 것이다.

그때부터 나의 가난한 서가에는 너의 동료들이 하나둘 모여들기 시작했다. 그 아이들은 메마른 나의 가지에 푸른 수액을 돌게 했다. 솔바람 소리처럼 무심한 세계로 나를 이끌었다. 그리고 내가 하는 일이 곧 나의 존재임을 투명하게 깨우쳐 주었다.

더러는 그저 괜히 창문을 열 때가 있다. 밤하늘을 쳐다보며 귀를 기울인다. 방울처럼 울려올 네 웃음소리를 듣기 위해. 그리고 혼자서 웃음을 머금는다.

이런 나를 곁에서 이상히 여긴다면, 네가 가르쳐 준 대로 나는 이렇게 말하리라.

"별들을 보고 있으면 난 언제든지 웃음이 나네……."

2

어린 왕자!

너의 아저씨(생 텍쥐페리)는 이렇게 말하고 있더라.

"어른들은 숫자를 좋아한다. 어른들에게 새로 사귄 동무 이야기를 하면, 제일 중요한 것은 도무지 묻지 않는다. 그분들은 '그 동무의 목소리가 어떠냐? 무슨 장난을 제일 좋아하느냐? 나비 같은 걸 채집하느냐?' 이렇게 묻는 일은 절대로 없다. '나이가 몇이냐? 형제가 몇이냐? 몸무게가 얼마나 나가느냐? 그애 아버지는 얼마나 버느냐?' 이것이 그분들의 묻는 말이다. 그제서야 그 동무를 아는 줄로 생각한다.

만약 어른들에게 '창틀에는 제라늄이 피어 있고 지붕에는 비둘기들이 놀고 있는 아름다운 붉은 벽돌집을 보았다'고 말하면, 그분들은 이 집이 어떻게 생겼는지 생각해 내질 못한다. '1억 원짜리 집을 보았어'라고 해야 한다. 그러면 '거 참 굉장하구나!' 하고 감탄한다."

지금 우리 둘레에서는 숫자 놀음이 한창이다. 두 차례 선거를 치르고 나더니 물가가 뛰어오르고, 수출고가 예상보다 처지고, 국민 소득이 어떻다는 등. 잘산다는 것은 눈에 보이는 숫자의 단위가 많을수록 좋다는 것이다. 따라서 다스리는 사람들은 이 숫자에 최대 관심을 쏟고 있다. 숫자가 늘어나면 으

시대고, 줄어들면 마구 화를 낸다. 자기 목숨의 심지가 얼마쯤 남았는지는 무관심이면서, 눈에 보이는 숫자에만 매달려 살고 있다.

그런데 이런 가시적인 숫자의 놀음으로 인해서 불가시적인 인간의 영역이 날로 위축되고 메말라 간다는 데 문제가 있다. 똑같은 물을 마시는데도 소가 마시면 우유를 만들고 뱀이 마시면 독을 만든다는 비유가 있지만, 숫자를 다루는 그 당사자의 인간적인 바탕이 문제다. 그런데 흔히 내노라 하는 어른들은 인간의 대지를 떠나 둥둥 겉돌면서도 그런 사실조차 모르고 있다.

어린 왕자!

너는 그런 사람을 가리켜 '버섯'이라고 했지?

"그는 꽃향기를 맡아 본 일도 없고 별을 바라본 일도 없고, 누구를 사랑해 본 일도 없어. 더하기밖에는 아무것도 한 일이 없어. 그러면서도 온종일 나는 착한 사람이다, 나는 착한 사람이다 하고 뇌고만 있어. 그리고 이것 때문에 잔뜩 교만을 부리고 있어. 그렇지만 그건 사람이 아니야. 버섯이야!"

그래, 네가 여우한테서 얻어 들은 비밀처럼, 가장 중요한 것은 눈에는 보이지 않아. 잘 보려면 마음으로 보아야 한다. 사실 눈에 보이는 것은 빙산의 한 모서리에 불과해. 보다 크고 넓은 것은 마음으로 느껴야지. 그런데 어른들은 어디 그래? 눈

앞에 나타나야만 보인다고 하거든. 정말 눈뜬 장님들이지. 눈에 보이지 않는 세계까지도 꿰뚫어볼 수 있는 그 슬기가 현대인에겐 아쉽다는 말이다.

3

어린 왕자!

너는 단 하나밖에 없는 소중한 꽃인 줄 알았다가, 그 꽃과 같은 많은 장미를 보고 실망한 나머지 풀밭에 엎드려 울었었지? 그때에 여우가 나타나 '길들인다'는 말을 가르쳐 주었어. 그건 너무 잊혀진 말이라고 하면서 '관계를 맺는다'는 뜻이라고.

길들이기 전에는 서로가 아직은 몇 천 몇 만의 흔해 빠진 비슷한 존재에 불과하여 아쉽거나 그립지도 않지만, 일단 길을 들이게 되면 이 세상에서 단 하나밖에 없는 소중한 존재가 되고 만다는 거야.

"네가 나를 길들이면 내 생활은 해가 돋은 것처럼 환해질 거야. 난 어느 발소리하고도 다른 발소리를 알게 될 거다. 네 발자국 소리는 음악이 되어 나를 굴 밖으로 불러낼 거야."

그리고 여우와는 아무 상관도 없는 밀밭이, 어린 왕자의 머리가 금빛이라는 이 한 가지 사실 때문에, 황금빛이 감도는 밀을 보면 그리워지고 밀밭을 지나가는 바람 소리가 좋아질 거라고 했다.

그토록 절절한 '관계'가 오늘의 인간 촌락에서는 퇴색해 버렸다. 서로를 이해와 타산으로 이용하려 들거든. 정말 각박한 세상이다. 나와 너의 관계가 없어지고 만 거야. '나'는 나고 '너'는 너로 끊어지고 말았어. 이와 같이 뿔뿔이 흩어져 버렸기 때문에 나와 너는 더욱 외로워질 수밖에 없는 거야. 인간 관계가 회복되려면, '나', '너' 사이에 '와'가 개재되어야 해. 그래야만 '우리'가 될 수 있어. 다시 네 동무인 여우의 목소리를 들어 보자.

"사람들은 이제 무얼 알 시간조차 없어지고 말았어. 다 만들어 놓은 물건을 가게에서 사면 되니까. 하지만 친구를 팔아 주는 장사꾼이란 없으므로 사람들은 친구가 없게 됐단다. 친구가 갖고 싶거든 날 길들여!"

길들인다는 뜻을 알아차린 어린 왕자 너는 네가 그 장미꽃을 위해 보낸 시간 때문에 네 장미꽃이 그토록 소중하게 된 것임을 알고 이렇게 말한다.

"내 장미꽃 하나만으로 수천수만의 장미꽃을 당하고도 남아. 그건 내가 물을 준 꽃이니까. 내가 고깔을 씌워 주고 병풍으로 바람을 막아 준 꽃이니까. 내가 벌레를 잡아 준 것이 그 장미꽃이었으니까. 그리고 원망하는 소리나 자랑하는 말이나 혹은 점잖게 있는 것까지라도 다 들어 준 것이 그 꽃이었으니까. 그건 내 장미꽃이니까."

그러면서 자기를 길들인 것에 대해서는 영원히 자기가 책임을 지게 되는 거라고 했다.

"너는 네 장미꽃에 대해서 책임이 있어!"

"사람들은 특급 열차를 잡아타지만, 무얼 찾아가는지를 몰라."

그렇다. 현대인은 바쁘게 살고 있다. 시간에 쫓기고 일에 밀리고 돈에 추격당하면서 정신없이 산다. 어디서 와서 어디로 가는지도 모르면서, 피로 회복제를 마셔 가며 그저 바쁘게만 뛰어다니려고 한다. 전혀 길들일 줄을 모른다. 그래서 한 정원에 몇 천 그루의 꽃을 가꾸면서도 자기네들이 찾는 걸 거기서 얻어내지 못하고 있는 거다. 그것은 단 한 송이의 꽃이나 한 모금의 물에서도 얻어질 수 있는 것인데.

너는 또 이렇게 말했지.

"그저 아이들만이 자기네들이 찾는 게 무언지를 알고 있어. 아이들은 헝겊으로 만든 인형 하나 때문에도 시간을 허비하고, 그래서 그 인형이 아주 중요한 것이 돼. 그러니까 누가 그걸 뺏으면 우는 거야……."

어린 왕자!

너는 죽음을 아무렇지 않게 생각하더구나. 이 육신을 묵은

114

허물로 비유하면서 죽음을 조금도 두려워하지 않더구나. 생야 일편부운기生也一片浮雲起, 사야일편부운멸死也一片浮雲滅, 삶은 한 조각 구름이 일어나는 것이요, 죽음은 한 조각 구름이 스러지는 것이라고 여기고 있더라.

그렇다, 이 우주의 근원을 넘나드는 사람에겐 죽음 같은 건 아무것도 아니야. 죽음도 삶의 한 과정이니까. 어린 왕자, 너의 실체는 그 묵은 허물 같은 것이 아닐 거야. 그건 낡은 옷이니까. 옷이 낡으면 새옷으로 갈아입듯이 우리들의 육신도 그럴 거다. 그리고 네가 살던 별나라로 돌아가려면 사실 그 몸뚱이를 가지고 가기에는 거추장스러울 거다.

"그건 내버린 묵은 허물 같을 거야. 묵은 허물, 그건 슬프지 않아. 이봐 아저씨, 그건 아득할 거야. 나두 별들을 쳐다볼래. 모든 별들이 녹슨 도르래 달린 우물이 될 거야. 모든 별들이 내게 물을 마시게 해줄 거야……."

4

어린 왕자!

이제는 너를 길들인 후 내 둘레에 얽힌 이야기를 전하고 싶다.

〈어린 왕자〉라는 책을 처음으로 내게 소개해 준 벗은 이 한 가지 사실만으로도 한평생 잊을 수 없는 고마운 벗이다. 너를 대할 때마다 거듭거듭 감사하지 않을 수 없다. 그 벗은 나에게 하나의 운명 같은 것을 만나게 해주었다.

지금까지 읽은 책도 적지 않지만, 너에게서처럼 커다란 감동을 받은 책은 많지 않았다. 그러기 때문에 네가 나한테는 단순한 책이 아니라 하나의 경전이라고 한대도 조금도 과장이 아닐 것 같다. 누가 나더러 지묵紙墨으로 된 한두 권의 책을 선택하라면 〈화엄경〉과 함께 선뜻 너를 고르겠다.

가까운 친지들에게 〈어린 왕자〉를 아마 서른 권도 넘게 사주었을 것이다. 너를 읽고 좋아하는 사람한테는 이내 신뢰감과 친화력을 느끼게 된다. 설사 그가 처음 만난 사람이라 할지라도 너를 이해하고 좋아하는 사람이라면 그는 내 벗이 될 수 있어. 내가 아는 프랑스 신부 한 사람과 뉴질랜드 노처녀 하나는 너로 인해서 가까워진 외국인이다.

너를 읽고도 별 감흥이 없어 하는 사람들이 있는데, 그런 사람은 나와 치수가 잘 맞지 않는 사람으로 생각하는 거다. 어떤 사람이 나와 친해질 수 있느냐 없느냐는 너를 읽고 난 그 반응으로 능히 짐작할 수 있다는 말이다. 그러니까 너는 사람의 폭을 재는 한 개의 자尺度다. 적어도 내게 있어서는.

그리고 네 목소리를 들을 때 나는 누워서 들어. 그래야 네 목소리를 보다 생생하게 들을 수 있기 때문이야. 상상의 날개를 마음껏 펼치고 날아다닐 수 있는 거야. 네 목소리는 들을수록 새롭기만 해. 그건 영원한 영혼의 모음母音이야.

아, 이토록 네가 나를 흔들고 있는 까닭은 어디에 있는 것일까. 그건 네 영혼이 너무도 아름답고 착하고 조금은 슬프기 때문일 것이다. 사막이 아름다운 건 어디엔가 샘물이 고여 있어서 그렇듯이.

네 소중한 장미와 고삐가 없는 양에게 안부를 전해다오.

너는 항시 나와 함께 있다. 1971

신시神市 서울

한동안 뜸하던 꾀꼬리 소리를 듣고 장마에 밀린 빨래를 하던 날 아침 우리 다래헌에 참외 장수가 왔다. 노인은 이고 온 광주리를 내려놓으면서 단 참외를 사 달라는 것이다. 경내에는 장수들이 드나들 수 없는 것이 사원의 규칙으로 되어 있지만, 모처럼 찾아온 노인의 뜻을 거절할 수 없어 일금 40원을 주고 두 개를 샀다. 그런데 기이한 일이 일어났다. 돈을 받아 쥔 노인은 돈에 대고 퉤퉤 침을 뱉는 것이 아닌가. 그 표정이 하도 엄숙하기로 차마 연유를 물어볼 수 없었다.

며칠 후, 일주문 밖에서 그 참외 장수 할머니를 우연히 만났다. 왜 돈에 침을 뱉었느냐 물으니 그날의 마수걸이여서 그랬다는 것이다. 그래 잘 팔리더냐고 했더니 아주 재수가 좋았다 한다.

그때 돈에 침을 뱉던 그 엄숙한 표정과 비슷한 모습을 어디선가 본 것 같은 기억을 잡느라고 나는 한참 맴을 돌았다. 그렇지, 삼청동 뒷산에서였지.

삼청동 칠보사에서 기식하던 시절, 이른 아침 산에 오를 때마다 본 일이다. 바위 틈에서 아낙네들이 음식을 차려놓고 치성을 드리던 바로 그 표정이었다. 때로는 무당들이 골짜기가 떠들썩하게 징을 쳐 가면서 신명을 풀기도 했다. 더욱이 입시 무렵에는 인왕산 일대와 함께 '야외 음악당' 구실을 한다는 것이다.

근대화로 줄달음치고 있는 조국의 수도권에서 이와 같은 무속이 건재하고 계신 것을 보고 대한민국의 신시는 계룡산이 아니라 바로 서울이구나 싶었다. 이 신시의 순례자들은 서민층만이 아니고 높은 벼슬아치의 댁내들께서도 가끔 동참하고 있다는 데는 실색하지 않을 수 없었다. 종교와 미신의 분수령에는 여러 가지 푯말이 박혀 있겠지만, 그 중에는 정正과 사邪도 있을 법하다. 구하는 바가 청정하고 바른 것이냐, 아니면 사특하고 굽은 것이냐에 따라 그 길은 갈라질 것이다.

절간을 찾아온 사람들 중에도 사원을 예의 신시로 잘못 알고 오는 이가 더러 있다. 그런가 하면 어떤 부류의 승려들은 자기 본분을 망각한 채 관상을 보고 사주팔자를 곱작거리며 작명의 업을 벌임으로써 엉뚱한 길로 오도하고 있다.

이런 경우 종교와 미신의 촌수는 실로 모호하게 된다. 이러한 소지가 남아 있는 한 가짜 사기승은 얼마든지 나올 수 있다.

오늘 아침 그 노인이 또 나타났다.

이번에는 복숭아를 이고 왔다.

이러다가는 갈아 주는 호의가 동업자로 변질되고 말 것 같다. 1969

본래무일물

사람은 태어나면서부터 물건과 인연을 맺는다. 물건 없이 우리들의 일상 생활은 이루어질 수 없다. 인간을 가리켜 만물의 영장이라 하는 것도 물건과의 상관 관계를 말하고 있는 것이다.

내면적인 욕구가 물건과 원만한 조화를 이루고 있을 때 사람들은 느긋한 기지개를 켠다. 동시에 우리들이 겪는 어떤 성질의 고통은 이 물건으로 인해서임은 더 말할 것도 없다. 그 중에도 더욱 고통스러운 것은 물건 자체에서보다도 그것에 대한 소유 관념 때문이다.

자기가 아끼던 물건을 도둑맞았거나 잃어 버렸을 때 그는 괴로워한다. 소유 관념이란 게 얼마나 지독한 집착인가를 비로소 체험하는 것이다. 그래서 대개의 사람들은 물건을 잃으면 마음까지 잃는 이중의 손해를 치르게 된다. 이런 경우 집착의 얽힘에서 벗어나 한 생각 돌이키는 회심回心의 작업은 정신 위생상 마땅히 있음직한 일이다.

따지고 보면, 본질적으로 내 소유란 있을 수 없다. 내가 태어날 때부터 가지고 온 물건이 아닌 바에야 내 것이란 없다. 어떤 인연으로 해서 내게 왔다가 그 인연이 다하면 가 버린 것이다. 더 극단적으로 말한다면, 나의 실체도 없는데 그밖에 내 소유가 어디 있겠는가. 그저 한동안 내가 맡아 있을 뿐이다.

울타리가 없는 산골의 절에서는 가끔 도둑을 맞는다. 어느 날 외딴 암자에 '밤손님'이 내방했다. 밤잠이 없는 노스님이 정랑엘 다녀오다가 뒤꼍에서 인기척을 들었다. 웬 사람이 지게에 짐을 지워 놓고 일어나려다 말고 일어나려다 말고 하면서 끙끙거리고 있었다. 뒤주에서 쌀을 한 가마 잔뜩 퍼내긴 했지만 힘이 부쳐 일어나지 못하고 있었던 것이다.

노스님은 지게 뒤로 돌아가 도둑이 다시 일어나려고 할 때 지그시 밀어 주었다. 겨우 일어난 도둑이 힐끗 돌아보았다.

"아무 소리 말고 지고 내려가게."

노스님은 밤손님에게 나직이 타일렀다. 이튿날 아침, 스님들은 간밤에 도둑이 들었다고 야단이었다. 그러나 노스님은 아무 말이 없었다. 그에게는 잃어 버린 것이 없었기 때문이다.

본래무일물本來無一物, 본래부터 한 물건도 없다는 이 말은 선가禪家에서 차원을 달리해 쓰이지만 물건에 대한 소유 관념을 표현한 말이기도 하다.

　그후로 그 밤손님은 암자의 독실한 신자가 되었다는 후문이다.　1970

아직도 우리에겐

6월이 장미의 계절일 수만은 없다, 아직도 깊은 상흔이 아물지 않고 있는 우리에게는. 카인의 후예들이 미쳐 날뛰던 6월, 언어와 풍습과 핏줄이 같은 겨레끼리 총부리를 겨누고 피를 흘리던 악의 계절에도 꽃은 피는가.

못다 핀 채 뚝뚝 져 버린 젊음들이, 그 젊은 넋들이 잠들어 있는 강 건너 마을 동작동. 거기 가보면 전쟁이 뭐라는 걸 뼈에 사무치도록 알게 된다. 그것도 남이 아닌 동족끼리의 싸움. 주의나 사상을 따지기에 앞서 겨레의 치욕이 아닐 수 없다.

그러나 살아남은 사람들에게는 전쟁의 상처가 강 건너 마을만큼이나 잊혀지고 있는 것 같다. 6월이 오면 하루나 이틀쯤 겨우 연중행사로 모였다가 흩어지고 마는 가벼운 기억들. 전장에서 억울하게 죽은, 정말 억울하게 죽어간 그들이 남긴 마

124

지막 발음이 무엇이었던가를 우리는 까맣게 잊어 버리고 있다. 오늘의 이 사치와 허영과 패륜과 메울 길 없는 격차와 단절을 가져오기 위해 그 무수한 젊음들이 죽어간 것인가.

국회의사당과 행정부처가 때로는 국립묘지로 이동해 왔으면 좋겠다는 생각이 들 때가 있다. 왜냐하면 국가대사를 요리하는 선량이나 고급 관료들에게 전쟁의 의미를 실감케 하고, 나아가 생과 사의 관념적인 거리를 단축시켜 주기 위해서다. 이런 환경에서라면 정치의 탈을 쓴 흥정이나 음모가, 부패나 부정이 그래도 체면을 차리지 않을까 하는 희망에서다.

몇 해 전 의사당 안의 풍경 한 조각. 바깥 싸움터로 군대를 보내느냐 마느냐 하는 가장 엄숙한 결단의 마당에서 민의를 대변한다는 어떤 '손'들은 꾸벅꾸벅 졸고 있더란다. 아무리 자기 자신은 싸움터에 나가지 않는다기로 이렇듯 소홀한 생명 관리가 어디 있단 말인가. 그것이 비록 가난한 우리 처지로서는 밥과 목숨을 맞바꿔야 하는 비극적인 상황이었다 할지라도.

적어도 그들은 가부를 내리기 전에 한번쯤은 이 침묵의 마을에 와야 했을 일이다. 그 무수한 젊음들이 피를 뿌리며 숨져갈 때 부르짖던 마지막 말이 무엇이었던가를 귀기울여 들어야 했었다.

전쟁이 용서 못할 악이라는 것은 새삼스레 인류사를 들출 것도 없다. 어떠한 명분에서일지라도 살려는 목숨을 죽이고 평화로운 질서를 짓밟는 전쟁은 악이다.

야수처럼 서로 물고 뜯으며 피를 찾아 발광하는 살기 띤 눈이 결코 우리들 인간의 눈은 아니다.

무심한 꽃은 핀다 하기로 6월이 장미의 계절일 수만은 없다.

아직도 우리 조국의 산하에서는. 1970

상면

아무개를 아느냐고 할 때 "오, 그 사람? 잘 알고 말고. 나하곤 막역한 사이지. 거 학창시절엔 그렇고 그런 친군데……." 하면서 자기만큼 그를 잘 알고 있는 사람은 없다는 듯이 으시대는 사람이 간혹 있다.

그러나 남을 이해한다는 것처럼 어려운 것이 또 있을까. 다양하고 미묘한 심층을 지닌 인간을 어떻게 다 알 수 있단 말인가. 그래서 인간은 저마다 혼자다. 설사 칫솔을 같이 쓸 만큼 허물없는 사이라 할지라도 그는 결국 타인이다.

아무개를 안다고 할 때 우리는 그의 나타난 일부밖에 모르고 있다. 그런데 뜻하지 않은 데서 우리는 불쑥 그와 마주칠 때가 있다. 길가에 무심히 피어 있는 이름 모를 풀꽃이 때로는 우리들의 발길을 멈추게 하듯이.

나는 적연 선사寂然禪師를 생전에 뵌 일이 없다. 내가 입산하기 전에 선사는 이미 사바 세계에서 인연을 거둔 뒤였기 때문이다. 시은施恩을 가볍게 하기 위해 항상 누더기를 걸치고 생식을 했다는 선사, 하루 세 시간밖에 잠을 안 자고 참선만을 했다는, 그리고 평생토록 산문 밖 출입을 하지 않았다는 그가 어떤 분인지 남들이 전하는 말만 듣고서는 도무지 그 모습을 잡을 수 없었다.

그러다가 그 스님이 생전에 머무르던 암자에 갔을 때였다. 거기서 나는 뜻밖에도 선사와 마주쳤던 것이다. 한 문도門徒가 간직하고 있는 유물을 보고 문득 선사의 걸걸한 음성을 들을 수 있었다. 서글서글한 눈매며 늘씬한 허우대까지도 역력히 보았던 것이다. 이렇듯 선사와 상면相面하게 된 계기는 줄이 다 해진 거문고와 손때가 밴 통소에서였다.

그때까지 나는 선사를 오해하고 있었던 것이다. 물기없는 고목처럼 꼬장꼬장한 수도승, 인간적인 탄력이라고는 눈곱만큼도 없는 카랑카랑한 목소리, 일에 당해서는 전혀 타협을 모르는 고집불통이었으리라고. 그런데 암자 한구석에 세워 둔 거문고와 그 위에 걸린 통소를 보고 그의 인간적인 여백과 마주쳤던 것이다.

암자 곁 커다란 반석에 앉아 땀을 들이고 있었다. 솔바람 소리를 타고 상상의 날개가 펼쳐졌다. 청명한 달밤, 선사는 거문고를 안고 나와 선열禪悅을 탄다. 걸걸한 목청으로 회심의 가락을 뽑는다. 반석 위에 뽀르르 다람쥐가 올라온다. 물든 잎이 시나브로 진다.

그는 찬바람이 감도는 율사律師가 아니었을 것이다. 경전의 구절이나 좌선에만 집착하는 시시콜콜한 도승도 아니었을 것이다. 그날의 상면으로 인해 나는 생전에 일면식도 없던 선사에게서 훈훈한 친화력 같은 걸 느끼게 되었다. 물론 내 나름으로 알고 있는 그의 한 단면에 지나지 않겠지만, 그와 그렇게 마주쳤던 것이다. 1970

살아남은 자

요 며칠 사이에 뜰에는 초록빛 물감이 수런수런 번지기 시작했다. 지난해 가을 이래 자취를 감추었던 빛깔이 다시 번지고 있다. 마른 땅에서 새 움이 트는 걸 보면 정말 신기하기만 하다. 없는 듯이 자취를 거두었다가 어느새 제철을 알아보고 물감을 푸는 것이다.

어제는 건너 마을 양계장에서 계분을 사다가 우리 다래헌茶來軒 둘레의 화목에 묻어 주었다. 역겨운 거름 냄새가 뿌리를 거쳐 줄기와 가지와 꽃망울에 이르면 달디단 5월의 향기로 변할 것이다. 대지의 조화에 경의를 표하지 않을 수 없다. 새봄의 흙 냄새를 맡으면 생명의 환희 같은 것이 가슴 가득 부풀어오른다. 맨발로 밟는 밭흙의 촉감, 그것은 영원한 모성이다.

거름을 묻으려고 흙을 파다가 문득 살아남은 자임을 의식한다. 나는 아직 묻히지 않고 살아 남았구나 하는 생각이 들었다. 지난 겨울 춘천을 다녀오면서도 그런 걸 느꼈었다. 그때 어쩌다 맨 뒷자리 비상구 쪽이 배당받은 내 자리였다. 그 동네도 초만원인 망우리 묘지 앞을 지나오면서 문득 나는 아직도 살아남아 있구나 하는 생각이 들었던 것이다.

굳이 비상 창구를 통해서 본 묘지가 아니더라도 지금 생존하고 있는 모든 사람들은 실로 '살아남은 자들'임에 틀림없다. 눈 한번 잘못 팔다가는 달리는 차바퀴에 남은 목숨을 바쳐야 하는 우리 처지다. 방 임자도 몰라보는 저 비정한 연탄의 독기와 장판지 한 장을 사이해 공존하고 있는 일상의 우리가 아닌가. 그 이름도 많은 질병, 대량 학살의 전쟁, 불의의 재난, 그리고 자기 자신과의 갈등. 이런 틈바구니에서 우리들은 정말 용하게도 죽지 않고 살아남은 자들이다.

죽음이 우리를 슬프게 하는 것은 영원한 이별이기에 앞서, 단 하나뿐인 목숨을 여의는 일이기 때문이다. 생명은 그 자체가 존귀한 목적이다. 따라서 생명을 수단으로 다룰 때 그것은 돌이킬 수 없는 악이다. 그 어떠한 대의 명분에서일지라도 전쟁이 용서 못할 악인 것은 하나뿐인 목숨을 서로가 아무런 가책도 없이 마구 죽이고 있기 때문이다.

살아남은 사람들끼리는 더욱 아끼고 보살펴야 한다. 언제 어디서 어떻게 자기 차례를 맞이할지 모를 인생이 아닌가. 살아남은 자인 우리는 채 못 살고 가 버린 이웃들의 몫까지도 대신 살아 주어야 한다. 나의 현 존재가 남은 자로서의 구실을 하고 있느냐가 항시 조명되어야 한다는 말이다.

그날 일을 마치고 저마다 지붕 밑의 온도를 찾아 돌아가는 밤의 귀로에서 사람들의 피곤한 눈매와 마주친다.

"오늘 하루도 우리들은 용하게 살아 남았군요" 하고 인사를 나누고 싶다. 살아남은 자가 영하의 추위에도 죽지 않고 살아남은 화목에 거름을 묻어 준다. 우리는 모두가 똑같이 살아남은 자들이다. 1972

아름다움
—낯모르는 누이들에게

　이 글을 읽어 줄 네가 누구인지 나는 모른다. 그러나 슬기롭고 아름다운 소녀이기를 바라면서 글을 쓴다. 슬기롭다는 것은, 그리고 아름답다는 것은 그 사실만 가지고도 커다란 보람이기 때문이다.

　일전에 사람을 만나기 위해 종로에 있는 제과점에 들른 일이 있다. 우리 이웃 자리에는 여학생이 대여섯 자리를 잡고 있었다. 그런데 그애들이 깔깔거리며 주고받는 이야기를 듣다 보니 나는 슬퍼지려고 했다.

　그 까닭은, 고1이나 2쯤 되는 소녀들의 대화치고는 너무 거칠고 야한 때문이었다. 우리말고도 곁에는 다른 손님들이 꽤 있었는데 그애들은 전혀 이웃을 가리지 않고 마구 떠들어대더구나. 그리고 말씨들이 어찌도 거친지 그대로 듣고 있을 수 없었다.

말씨는 곧 그 사람의 인품을 드러내게 마련이다. 또한 그 말씨에 의해서 인품을 닦아갈 수도 있는 거야. 그러기 때문에 일상 생활에 주고받는 말은 우리들의 인격 형성에 꽤 큰 몫을 차지한다. 그런데 아름다운 소녀들의 입에서 거칠고 야비한 말이 거침없이 튀어나올 때 어떻게 되겠니? 꽃가지를 스쳐오는 바람결처럼 향기롭고 아름다운 말만 써도 다 못하고 죽을 우리인데.

언젠가 버스 종점에서 여차장들끼리 주고받는 욕지거리로 시작되는 말을 듣고 나는 하도 불쾌해서 그 차에서 내리고 말았다. 고물차에서 풍기는 기름 냄새는 골치만 아프면 그만이지만, 욕지거리는 듣는 마음 속까지 상하게 한다. 그것은 인간의 대화가 아니라 시궁창에서 썩고 있는 추악한 악취나 다름없다. 그러한 분위기 속에 잠시라도 나를 빠지게 할 수가 없었다.

욕지거리가 인간의 대화로 통용되고 있는 요즘 세상임을 모르는 바 아니다. 그러나 배우지 못했거나 생활 환경이 무질서한 그런 애들과는 달라야 한다.

'아름답다는 것은 그 사실만으로도 큰 보람'이란 말을 앞에서 했다. 그럼 아름다움이란 뭘까. 밖에서 문지르고 발라 그럴 듯하게 치장해 놓은 게 아름다움은 물론 아니다. 그건 눈속임이지. 그건 이내 지워지고 만다. 아름다움이 영원한 기쁨이라면 그건 결코 일시적인 겉치레일 수 없어. 두고 볼수록 새롭게 피어나야 한다. 그러기 때문에 아름다움은 하나의 발견일 수도 있어. 투명한 눈에만 비치기 때문이다.

나는 미스 코리아라든지 미스 유니버스 따위를 아름다움으로 신용할 수 없어. 그들에게는 잡지의 표지나 사진관 앞에 걸린 사진처럼 혼이 없기 때문이야. 아름다움을 정치처럼 다수결로 결정한다는 것은 정말 우스운 일이다. 그리고 어떤 의미에서 그들은 아름다움을 드러내기보다는 모독하고 있는 거야. 아름다움이란 겉치레가 아니기 때문이다. 상품 가치가 아니기 때문이다.

그런데 사람들은 흔히 아름다움이라면 거죽만을 보려는 맹점이 있어. 그래서 아름답게 보이려고 갖은 수고를 다한다. 값진 화장품을 써야 하고, 사람이 먹기도 어려운 우유에 목욕을 하는가 하면 무슨무슨 운동을 하고, 값비싼 옷을 해 입어야 하고……

그들은 모르고 있어. 감추는 데서 오히려 나타난다는 예술의 비법을. 현대인들은 그저 나타내는 데만 급급한 나머지 감추는 일을 망각하고 있어. 겉치레에만 정신을 파느라고 속을 다스릴 줄 모른단 말야. 이런 점은 우리 춘향이나 심청이한테 배워야 할 거다.

그런데 아름다움은 누구에게 보이기 전에 스스로 나타나는 법이거든. 꽃에서 향기가 저절로 번져 나오듯.

어떤 시인의 말인데, 꽃과 새와 별은 이 세상에서 가장 정결한 기쁨을 우리에게 베풀어 준다는 거야. 그러나 그 꽃은 누굴위해 핀 것이 아니고 스스로의 기쁨과 생명의 힘으로 피어난 것이래. 숲속의 새들도 자기의 자유스런 마음에서 지저귀고 밤하늘의 별들도 스스로 뿜어지는 자기 빛을 우리 마음에 던질 뿐이란 거야. 그들은 우리 인간을 위한 활동으로서 그러는 것이 아니라, 오로지 자기 안에 이미 잉태된 큰 힘의 뜻을 받들어 넘치는 기쁨 속에 피고 지저귀고 빛나는 것이래.

이와 같이 아름다움은 안에서 번져 나오는 거다. 맑고 투명한 얼이 안에서 밖으로 번져 나와야 한단 말이다. 사람마다 다른 얼굴을 하고 있는 것은 어째서 그럴까. 서로 뒤바뀌지 않게 알아볼 수 있도록 어떤 보이지 않는 손이 그렇게 빚어 놓은 것일까? 아닐 거야, 아니고 말고. 그건 저마다 하는 짓이 달라서 그런 거지.

얼굴이란 말의 근원이 얼의 꼴에서 나왔다고 한다면, 한 사람의 얼굴 모습은 곧 그 사람의 영혼의 모습일 거다. 아름다운 얼굴은 지금까지 아름다운 행위를 통해 아름답게 얼을 가꾸어와서 그럴 거고, 추한 얼굴은 추한 행위만을 쌓아 왔기 때문에 그럴 거야. 그렇다면 아름답고 추한 것은 나 아닌 누가 그렇게 만들어 놓은 게 아니라, 내 스스로의 행위에 의해 그러한 꼴 (탈)을 하고 있다는 것이다.

어이, 욕지거리를 잘하는 미인을 상상할 수 있겠어? 그건 결코 미인이 아니야. 그리고 속이 빈 미인을 생각할 수 있을까? 그러기 때문에 아름다움은 또한 슬기로움과 서로 이어져야 한다. 슬기로움은 우연하게 얻어지는 게 아니거든. 순수한 집중을 통해 자기 안에 지닌 빛이 발하는 거지.

나는 네가 시험 점수나 가지고 벌벌 떠는 그런 소녀이기를 바라지 않는다. 물론 골빈당이 되어서도 안 된다. 네가 있음으로 해서 네 이웃이 환해지고 향기로워질 수 있는 그런 존재가 되어 주기를 바란다. 소녀라는 말은 순결만이 아니라, 아름답고 슬기로운 본질을 가꾸는 인생의 앳된 시절을 뜻한다.

너의 하루하루가 너를 형성한다. 그리고 머지 않아 한 가정을, 지붕 밑의 온도를 형성할 것이다. 또한 그 온도는 이웃으로 번져 한 사회를 이루게 될 것이다. 이렇게 볼 때 너의 '있음'은 절대적인 것이다. 없어도 그만인 그런 존재가 아니란 말이다.

누이야, 이 살벌하고 어두운 세상이 너의 그 청청한 아름다움으로 인해서 살아갈 만한 세상이 되도록 부디 슬기로워지거라. 네가 할 일이 무엇인가를 찾아라. 그것이 곧 너 자신일 거다. 1971

진리는 하나인데
―기독교와 불교

1

 이태 전 겨울, 서대문에 있는 다락방에서 베다니 학원이 열리고 있을 때였다. 나는 연사의 초청을 받고 그 자리에 참석한 일이 있었다. 거기 모인 사람들은 대개가 목사의 부인되는 분들이라고 했다. 그런데 나는 강연을 하면서도 이상한 착각에 속으로 갸웃거렸다.

 여러 청중 속에 대여섯 사람쯤은 어디서 본 듯한 얼굴이었기 때문이다. 어디서 꼭 만난 사람들 같은데, 거기가 어디였는지 알 수가 없었다. 내가 주관하던 법회였든지, 아니면 출가 이전에 같은 동네에 살던 분들이었든지. 어디서 본 얼굴들 같은데 도무지 기억의 실마리가 풀리지 않았다.

돌아오는 차 안에서 문득 그 얼굴들의 정체를 알아차리게 되었다. 그 얼굴들은 실제로 어디서 본 것이 아니었다. 그들의 내면적인 신앙 생활이 밖으로 번져 나옴으로 해서, 기왕에 알았던 사람들로 착각을 일으키게 했던 것이다. 어쩌면 전생에 이웃에서 살던 사촌들이었는지도 모르긴 하지만.

사람끼리 친근해질 수 있다는 것은 밖에 드러난 거죽에서보다도 투명한 영혼에 의해서임을 알 수 있었다. 이때의 인연으로 우리는 뒷날 또 만나게 된다. 한 번 만난 사람들은 다시 만나게 되는 것이다.

지난해 가을 나는 운수행각으로 여기저기 떠돌아다니다가 어느 날 해질녘 속리산에 들르게 되었다. 객실에 행장을 푼 뒤 개울가에 나가 먼지를 털고 오는데,

"법정 스님 아니세요?"

하는 음성이 들려왔다. 돌아보니 그때 베다니에서 만난 어머니들이었다. 뜻 아닌 데서 만나니 무척 반가웠다.

언젠가 붉은 줄을 그어 가며 읽던 막스 밀러의 글이 생각났다.

"······ 사방이 어두워졌을 때, 마음 속 깊이 혼자임을 느꼈을 때, 그리고 사람들이 좌로 우로 지나가면서도 서로가 누구인지 모를 때에, 잊었던 감정이 우리 가슴 속에서 용솟음쳐 오르게 된다. 우리는 그것이 무엇인지를 모른다. 그것은 사랑도 아

니고 우정은 더욱 아니기 때문이다. 냉정하게 우리 곁을 스쳐 지나가는 사람들에게 '저를 모르셔요?' 하고 묻고 싶어진다. 그러한 때에 인간과 인간의 사이는 형제의 사이보다도, 부자지간보다도, 친구지간보다도 더 가깝게 느껴진다."

이때 타인은 결코 무연한 존재가 아니라, 가장 가까운 나의 분신임을 알 수 있다. 그런데도 우리는 서로가 아무 말도 없이 스쳐 지나가고 만다.

2

대개의 경우 어떤 종교를 통해 신앙 생활을 하는 사람들은 종교를 갖지 않은 일반인들에 비해 대인 관계에 있어서 너그럽다고 한다. 그러나 그 대인 관계가 이교도로 향하게 될 때 돌연변이를 일으키는 수가 더러 있다. 너그러웠던 아량이 갑자기 움츠러들어 고슴도치처럼 가시를 돋우는 것이다.

나는 가끔 이런 대접을 받는다. 물건을 사기 위해 가게문을 열고 들어갔을 때 가게 주인은 정확한 발음으로,

"우리는 예수를 믿습니다."

라고 한다. 물론 얻으러 온 탁발승으로 오인하고 한 말일 것이다. 태연하게 물건을 골라 돈을 치르고 나오면서 돌아보면 복잡한 표정이다. 혹은 기독교인들끼리 산사에 놀러와 어쩌다

찬송가라도 부를라치면 기를 쓰고 제지하는 산승들이 또한 없지 않다.

이와 같은 씁쓸한 현상은 어디에 그 뿌리를 내리고 있는 것일까. 자기가 믿고 있는 종교적인 신념에서라기보다, 이교도라면 무조건 적대시하려 드는 배타적인 감정에 이유가 있을 것이다. 자기가 믿는 종교만이 유일한 것이고 그밖에 다른 종교는 일고의 가치조차 없는 미신으로 착각하고 있는 맹목에서일 것이다. 이렇듯 독선적이고 배타적인 선민의식이 마치 자기의 신심을 두텁게 하는 일인 양 알고 있기 때문에 스스로의 시야를 가리게 되는 것이다.

따라서 그러한 단견短見들이 읽는 경전이나 성경의 해석 또한 지극히 위태로운 것이 아닐 수 없다. 글이나 말 뒤에 들어있는 뜻을 망각하고 하나의 비유에 지나지 않는 표면적인 언어에 집착하고 있는 것이다.

많은 종교가 존재하고 있는 한 어떤 종교이든지 그 나름의 독자적인 상징을 필요로 한다. 그러나 그 상징이 맹목적인 숭배물로 되거나 혹은 다른 종교에 대해 우월을 증명하는 도구로 쓰인다면 그것은 무의미하다.

모든 오해는 이해 이전의 상태이다. 따라서 올바른 비판은 올바른 인식을 통해서만 내려질 수 있다. 그런데 그릇된 고정관념에 사로잡힌 일부 종교인들은 성급하게도 인식을 거치지 않고 비판부터 하려 든다. 물론 인식이 없는 비판이란 건전한 비판일 수 없는 것이지만. 우리들이 진정으로 자기 종교의 본질을 알게 된다면 저절로 타종교의 본질도 알게 될 것이다.

이전까지 기독교도와 불교도 사이에 바람직한 대화의 길이 트이지 못한 그 원인을 찾는다면, 상호간에 독선적인 아집으로 인한 오해에 있었을 것이다. 출세간적出世間的인 사랑은 편애가 아니고 보편적인 것이다. 보편적인 사랑은 이교도를 포함한 모든 이웃에 미치지 않을 수 없다.

내가 즐겨 읽는 〈요한의 첫째 편지〉에는 이런 구절이 있다.

"하느님을 사랑한다고 하면서 자기 형제를 미워하는 사람은 거짓말쟁이입니다. 보이는 자기 형제를 사랑하지 않는 사람이 어떻게 보이지 않는 하느님을 사랑할 수 있겠습니까?'

'하느님'을 '부처님'으로 바꿔 놓으면 사이비 불교도들에게 해당될 적절한 말씀이다. 가끔 이런 생각을 해볼 때가 있다. 오늘날 만약 예수님과 부처님이 자리를 같이한다면 어떻게 될까? 그릇된 고정 관념에 사로잡혀 으르렁대는 사이비 신자들과는 그 촌수가 다를 것이다.

모르긴 해도 의기가 상통한 그들은 구태여 입을 벌려 수인사를 나눌 것도 없이 서로가 잔잔한 미소로써 대할 것만 같다. 그들의 시야는 영원에 닿아 있기 때문에, 그들의 마음은 하나로 맺어져 있을 것이기 때문이다.

3

모든 오해는 저마다 자기 집에만 갇혀 있는 데서 오게 마련이다. 굳게 닫았던 문을 열고 만나 이야기를 나누면 서로가 형제임을 마음 속으로부터 느끼게 된다. 최근에 종교인들끼리의 모임이 활발해지면서부터는 종래 편견에 사로잡힌 이해 이전의 상태가 많이 해소되고 있다.

무엇보다 만나서 서로 이야기를 나눈다는 사실이 소중하다. 만나지 않고는 이야기를 나눌 수 없다. 또한 이야기를 통해서 비로소 우리는 만나게 된다. 만남은 일종의 개안開眼일 수 있다. 왜냐하면 만나 이야기함으로써 오해의 장막이 걷히고 인식의 지평이 열리기 때문이다. 지금까지 보이지 않던 영역이 보이고 들리지 않던 소리가 들리는 것이다. 그리고 우리는 저마다 외롭게 떠 있는 섬이 아니라, 같은 대지에 맺어져 있는 불가분의 존재임을 인식하게 될 것이다.

〈리그 베다〉에 이런 구절이 나온다.

"하나의 진리를 가지고 현자들은 여러 가지로 말하고 있다."

여러 종교를 두고 생각할 때 음미할 만한 말씀이다. 사실 진리는 하나인데 그 표현을 달리하고 있을 뿐이다. 나는 가끔 성경을 읽으면서 느끼는 일이지만, 불교의 대장경을 읽는 듯한 착각을 일으키는 수가 있다. 조금도 낯설거나 이질감을 느낄 수 없다. 또한 기독교인이 빈 마음으로 대장경을 읽을 때도 마찬가지일 것이다. 문제는 그릇된 고정 관념 때문에 '빈 마음'의 상태에 이르지 못한 데서 이해가 되지 않고 있을 뿐이다.

마하트마 간디의 표현을 빌리면, 종교란 가지가 무성한 한 그루의 나무와 같다. 가지로 보면 그 수가 많지만, 줄기로 보면 단 하나뿐이다. 똑같은 히말라야를 가지고 동쪽에서 보면 이렇고, 서쪽에서 보면 저렇고 할 따름이다.

그러므로 종교는 하나에 이르는 개별적인 길이다. 같은 목적에 이르는 길이라면 따로따로 길을 간다고 해서 조금도 허물될 것은 없다. 사실 종교는 인간의 수만큼 많을 수도 있다. 왜냐하면 사람들은 저마다 특유한 사고와 취미와 행동 양식을 지니고 있기 때문이다.

이러한 안목으로 기독교와 불교를 볼 때 털끝만치도 이질감이 생길 것 같지 않다. 기독교나 불교가 발상된 그 시대와 사회적인 배경으로 인해서 종교적인 형태는 다르다고 할지라도 그 본질에 있어서는 동질의 것이다. 종교는 인간이 보다 지혜롭고 자비스럽게 살기 위해 사람이 만들어 놓은 하나의 '길'이다.

문제는 우리가 얼마만큼 서로 사랑하느냐에 의해서 이해의 농도는 달라질 것이다. 진정한 이해는 사랑에서 비롯된다.

"아직까지 하느님을 본 사람은 아무도 없습니다. 그러나 우리가 서로 사랑한다면 하느님께서는 우리 안에 계시고 또 하느님의 사랑이 우리 안에서 완성될 것입니다." (요한의 첫째 편지 4장 12절) 1971

소음기행

오늘날 우리들의 나날은 한마디로 표현해 소음이다. 주간지, 라디오, 텔레비전 등 대중 매체는 현대인들에게 획일적인 속물이 되어 달라고 몹시도 보챈다. 뿐만 아니라 우리들의 입술에서도 언어를 가장한 소음이 지칠 줄 모르고 펑펑 쏟아져 나온다. 무책임한 말들이 제멋대로 범람하고 있다.

그래서 우리들은 진정한 자기 언어를 갖지 못하고 있다. 모두가 시장이나 전장에서 통용됨직한, 비리고 살벌한 말뿐이다. 맹목적이고 범속한 추종은 있어도 자기 신념이 없기 때문일까. 이렇게 해서 현대인들은 서로가 닮아간다. 동작뿐 아니라 사고까지도 범속하게 동질화되고 있다. 다스리는 쪽에서 보면 참으로 편리할 것이다. 적당한 물감만 풀어 놓으면 우르르 몰려들어 허우적거리는 무리를 보고 쾌재를 부를 것이다.

소음에 묻혀 허우적거리는 우리들은 접촉의 과소에서가 아니라 오히려 그 과다에서 인간적인 허탈에 빠지기 쉽다. 계절이 바뀌어도 뿌리를 내리지 못한 채 끝없이 방황한다. 잿빛 소음에 묻혀 생명의 나뭇가지가 시들어 간다.

그러한 대지에 가을이 오니 그래도 마른 바람소리가 수런거렸다. 귓전으로가 아니라 옆구리께로 스치는 그 소리를 들으니 문득 먼길을 떠나고 싶은 묵은 병이 슬금슬금 고개를 들었다. 그날로 털고 나섰다.

서라벌! 그렇다, 신라로 가자. 불국사 복원공사의 현장을 언제부터 한번 가보고 싶었다. 동대문 고속버스 정류장에서 경주행을 탔다. 잘 있거라 나는 간다, 소음의 도시여.

제3한강교를 벗어나자 천장의 스피커에서 음악이 흘러나온다. 나그네 길에 가끔 들리는 음악은 정다운 길벗일 수 있다. 때로는 마른 바람소리 같은 구실을 해준다. 무심히 창밖에 던진 시야에 초점을 맞추어 주기도 한다. 그래서 여독을 씻는다고들 한다.

그런데 그것이 계속해서 울려퍼질 때 그것은 정다운 길벗이 아니라 견딜 수 없는 곤욕이다. 그 음악이라는 것도 한결같이 파리똥이 덕지덕지 붙은 곡조들뿐. 북에서 온 사람이 아니라도, 왜 남한의 곡조와 가사는 저렇듯 청승맞고 병들어 있는가 싶다. 가히 자유 대한의 그 자유라는 빛깔을 저렇게 각색해야만 하는가. 누가 이런 소리를 듣고 눈을 지그시 감을 수 있단 말인가.

견디다 못해 안내양에게 좀 쉬어가면서 듣자 했더니 그야말로 마이동풍이었다. 거듭 요구하자 "다들 좋아하는데 왜 그래요?" 하면서 눈을 흘겼다. 곁자리를 보니 가락에 맞추어 발장단을 치고 있는 사람도 있었다. 나는 참을 수밖에 없었다. 수행자라는 알량한 체면 때문에.

내가 낸 돈으로 차가 달리고 있는데 거기에 내 뜻은 전혀 개입될 수 없다. 모처럼 소음의 일상에서 벗어나 맑고 조용하게 날개를 펴고자 나그네가 되었는데 소음은 '카 스테레오'라는 기계장치를 통해 줄곧 나를 추적해 오고 있다. 아, 이런 소음이 문명이라면 나는 미련없이 정적의 미개 쪽에 서겠다.

도로 연변에 울긋불긋 덮인 슬레이트 지붕들, 산자락이나 개울가하고는 전혀 조화가 안 되고 있는 그 슬레이트의 어설픈 덮개를 보다가 문득 이런 생각을 했다.

대한민국의 유행가를 있는 대로 몽땅 내뱉으며 달리고 있는 이 고속버스가 네 바퀴 달린 차량이 아니고 하나의 국가라고 한다면? 그것은 공포요 전율이었다.

차를 몰고 가는 운전수와 차장격인 정부는 국민의 식성에는 아랑곳없이 자기들이 좋아하는 가락만을 줄기차게 틀어댈 것이다. 자기네의 상식으로 손님들의 양식을 잴 것이다. 손님들이 낸 요금(세금)으로 달리고 있으면서, 카 스테레오까지도 그 돈으로 돌리면서 손님들의 의사는 전혀 모른 체할 것이다. 때로는 엉뚱하게 반나체 춤을 보이려고 자기네끼리 곧잘 어울리는 워커힐 같은 데로 데려갈지 모른다. 부질없는 상상일까.

서울에서 경주까지 그 소음 때문에 나는 나그네의 멋을, 홀가분한 그 날개를 잃고 말았다. 1,300원어치의 소음에서 내리니 심신이 더불어 휘청거렸다. 서라벌은 간 데 없고 관광 도시 경주가 차디차게 이마에 부딪쳤다.

외부의 소음으로 자기 내심의 소리를 듣지 못한다는 것은 분명 현대인의 비극이다. 설사 행동반경이 달나라에까지 확대됐다 할지라도 구심求心을 잃은 행동은 하나의 충동에 불과하다. 그런데 문제는 그 소음에 너무 중독이 되었기 때문에 청각이 거의 마비상태라는 점이다. 남녀노소 할 것 없이 소음의 궤짝 앞에서 떠날 줄 모르는 일상인들. 그것을 밑천으로 바보가 되어 가는 줄도 모르는 똑똑한 문명인들.

자기 언어와 사고를 빼앗긴 일상의 우리들은 도도히 흐르는 소음의 물결에 편승하여 어디론지 모르게 흘러가고 있다. 오늘날 우리가 주고받는 대화도 하나의 소음일 경우가 많다. 왜냐하면 그 소음을 매개로 해서 새로운 소음을 만들어 내고 있기 때문이다.

그러나 인간의 말이 소음이라면, 그로 인해서 빛이 바랜다면 인간이 슬퍼진다. 그럼 인간의 말은 어디에서 나와야 할까. 그것은 마땅히 침묵에서 나와야 한다. 침묵을 배경으로 하지 않는 말은 소음과 다를 게 없다. 인간은 침묵 속에서만이 사물을 깊이 통찰할 수 있고 또한 자기 존재를 자각한다. 이때 비로소 자기 언어를 갖게 되고 자기 말에 책임을 느낀다. 그러기 때문에 투명한 사람끼리는 말이 없어도 즐겁다. 소리를 입 밖에 내지 않을 뿐 무수한 말이 침묵 속에서 오고 간다.

말 많은 이웃들은 피곤을 동반한다. 그런 이웃은 헐벗은 자기 꼴을 입술로 덮으려는 것이다. 그런 말은 소음에서 나와 소음으로 사라져간다. 그러나 말수가 적은 사람들의 말은 무게를 가지고 우리 영혼 안에 자리를 잡는다. 그래서 오래오래 울린다. 인간의 말은 침묵에서 나와야 한다. 태초에 말씀이 있기 이전에 깊은 침묵이 있었을 것이다.

현대는 정말 피곤한 소음의 시대다. 카뮈의 뫼르소가 오늘에 산다면 이제는 햇빛 때문이 아니라 소음 때문에 함부로 총질을 할지 모르겠다. 1972

나의 애송시

심심 산골에는
산울림 영감이
바위에 앉아
나같이 이나 잡고
홀로 살더라.

청마靑馬 유치환의 〈심산深山〉이라는 시다. 시가 무엇인지
나는 잘 모른다. 그러나 읽을 때마다 내 생활의 영역에 물기와
탄력을 주는 이런 언어의 결정을 나는 좋아하지 않을 수 없다.
언제부턴가 말년을 어떻게 보낼까를 생각했다. 새파란 주제
에 벌써부터 말년의 일이냐고 탓할지 모르지만, 순간에서 영
원을 살려는 것이 생명 현상이다. 어떤 상상은 그 자체만으로

도 현재를 보다 풍성하게 가꾸어 주는 수가 있다. 심산은 내게 상상의 날개를 주어 구만리 장천을 날게 한다.

할 일 좀 해놓고 나서는 세간적인 탈을 훨훨 벗어 버리고 내 식대로 살고 싶다. 어디에도 거리낄 것 없이 홀가분하게 정말 알짜로 살고 싶다.

언젠가 서투른 붓글씨로 심산을 써서 머리맡에 붙여 놓았더니 한 벗이 그걸 보고, 왜 하필이면 궁상맞게 이를 잡느냐는 것이었다. 할 일이 없으니 양지 바른 바위에 앉아 이나 잡을밖에 있느냐고 했지만, 그런 경지에서 과연 할 일이 무엇이겠는가. 물론 불가에서는 조그마한 미물이라도 살생을 금하고 있다. 우리로서는 아무렇지도 않은 일이 저쪽에서는 하나밖에 없는 목숨이 끊어지는 일이니까.

각설, 주리면 가지 끝에 열매나 따 먹고 곤하면 바위 아래 풀집에서 잠이 든다. 새삼스레 더 배우고 익힐 것도 없다. 더러는 솔바람 소리를 들으며 안개에 가린 하계를 굽어본다. 바위틈에서 솟는 샘물을 길어다 차를 달인다. 다로茶爐 곁에서 사슴이 한 쌍 졸고 있다. 흥이 나면 노래나 읊을까? 낭랑한 노랫소리를 들으면 학이 내려와 너울너울 춤을 추리라.

인적이 미치지 않은 심산에서는 거울이 소용없다. 둘레의 모든 것이 내 얼굴이요 모습일 테니까.

일력日曆도 필요없다. 시간 밖에서 살 테니까.

혼자이기 때문에 아무도 나를 얽어매지 못할 것이다.

홀로 있다는 것은 순수한 내가 있는 것. 자유는 홀로 있음을 뜻한다.

아, 아무것도 가진 것 없이, 어디에도 거리낄 것 없이 산울림 영감처럼 살고 싶네.

태고의 정적 속에서 산신령처럼 무료히 지내고 싶네. 1972

불교의 평화관

1

휴전선을 사이에 두고 사실상 전쟁 상태에 놓여 있는 우리 현실을 돌아볼 때에 불안의 그림자는 이 구석 저 구석에 도사리고 있다. 정치를 업으로 삼고 있는 세계의 헤비급 챔피언들이 지구가 좁다는 듯이 사방으로 분주하게 뛰고 내닫는 것도 오로지 세계 평화를 유지하기 위한 안간힘으로 볼 수 있다. 그러나 이러한 노력에도 불구하고 이 지구상에서는 단 하루도 싸움이 종식된 날이 없다. 인간은 왜 싸워야 하는가? 싸우지 않고는 배길 수 없도록 돼먹은 존재인가?

인간이 잘 살기 위해 마련한 기술 문명이 사상 유례 없이 달에까지 치솟게 된 오늘날, 인간의 대지에서는 전쟁으로 인한 살육의 피비린내가 날로 물씬거리고 있는 것을 보면, 사회 구조는 어딘가 잘못되어 있는 것 같다.

사람들은 어릴 때부터 곧잘 다툰다. 뿐만 아니라 전쟁놀이도 겸하고 있다. 장난감 가게에서는 예쁜 인형과 함께 총과 칼도 팔고 있다. 귀여운 고사리 손이 살육하는 연장에 익숙해지도록 성인들이 몸소 가르치고 있는 것이다.

운동 경기 종목 가운데는 권투와 레슬링이라는 게 있다. 이 두 가지 경기는 그 어떤 경기보다도 관중들을 미치게 하고 환장하게 만든다. 그것이 나라와 나라 사이의 경기일 경우 링 위에서 치고 받는 선수뿐 아니라 관중들도 함께 싸우고 있다. "밟아라! 죽여라!" 하는 함성과 함께 때로는 돌멩이가 날고 술병이 던져진다. 이런 걸 가리켜 그래도 친선 경기라고 한다.

인간끼리 마주 붙어 피를 찾으며 치고받는 이런 행위가 경기 종목으로 각광을 받고 있는 한, 인간 촌락에 싸움이 그칠날은 멀다. 전쟁이란 무엇인가? 바로 이런 경기의 확대판이 아니겠는가.

오늘날의 전쟁은 기계문명의 발달과 함께 그 양상이 점점 처절해지고 있다. 비전투원들까지 전쟁의 소용돌이에 휘말려 들지 않을 수 없다. 2차대전 이래 부녀자들까지도 대량학살의 재물이 되고 있지 않은가.

이런 상황 아래서 종교인이 과거처럼 부동자세로써 청산 백운이나 바라보며 초연하려 한다면 그런 종교는 없는 것만도 못할 것이다. 일체 중생이 부딪치고 있는 문제는 곧 종교의 과제이기 때문이다. 그러므로 평화에 대한 염원과 노력은 오늘의 종교가 문제 삼아야 할 가장 중요한 과제 중 하나다.

2

불타 석가모니의 가르침은 평화가 무엇인가를 보여 준 그 한 가지 사실만 가지고도 인류 역사에 불멸의 자취를 남겼다고 할 수 있다.

불교가 사회적인 실천 윤리의 바탕을 삼고 있는 것은 다름 아닌 자비다. 중생을 사랑하여 기쁨을 주는 것을 자慈라 하고, 중생을 가엾이 여겨 괴로움을 없애 주는 일을 비悲라 한다. 그러므로 자비는 인간 심성의 승화라고 할 수 있다.

초기 불교에서는, 어머니가 자식을 사랑하듯 그런 마음가짐으로 모든 이웃을 사랑하라고 강조했다.

"어머니가 자기 외아들을 목숨을 걸고 지키듯이, 모든 살아 있는 것에 대해서 한량없는 자비심을 일으켜야 한다."(〈숫타니파타〉149)

지극한 자비에는 멀고 가까움이나 원수와 동지가 따로 있을 수 없다.

"우리는 만인의 벗, 일체 중생의 동정자. 자비한 마음을 길러 항상 아힘사無傷害를 즐기노라."(〈장로게長老偈〉648)

"그러므로 적에게도 자비를 베풀어라. 자비로 가득 채우라. 이것이 모든 부처님의 가르침이다."(〈밀린다 왕문경王問經〉)

인간 존재에 있어서 기본적인 구조는 세상에 있다는 사실이다. 세상에 있다는 것은 함께 있음을 뜻한다. 사람은 혼자서 살 수는 없다. 서로서로 의지하여 관계를 이루며 살아간다. 그러기 때문에 저쪽의 불행이 내게 무연하지 않다. "이것이 있으므로 저것이 있고, 저것이 없으면 이것도 없다"는 말은 인과관계의 원리이지만, 그것은 또한 모든 존재의 실상이기도 하다.

초기 교단에서는 국가 권력을 향해 전쟁을 포기하도록 여러 가지로 노력했었다.

"원한은 원한에 의해 해결될 수 없다. 원한을 버림으로써 그것은 풀린다"고 했다.

마가다의 아사세 왕이 이웃 나라 밧지족을 공격하려고 부처님에게 의견을 물었을 때, 부처님은 여러 가지 저쪽 상황을 물은 뒤 무익한 전쟁을 만류하면서 이렇게 말했다.

"정치란 죽이지 않고 해치지 않으며, 이기지 않고 적에게 이기도록 하지도 않으며, 슬프게 하지 않고 법답게 다스려야 합니다."(〈상응부相應部 경전〉 제1권)

그리고 불가피한 경우라 할지라도 맞서 싸우기보다는 권지

權智로써 화평하라고 했다.

3

얼마 전 조조에 영화 〈솔저 블루〉를 보고 전쟁의 의미가 무엇인가를 거듭 확인할 수 있었다. 한 마음에서 싹튼 증오가 불붙기 시작할 때 그 불길은 걷잡을 수 없이 타오르고 만다. 어떠한 전쟁이라 할지라도 본질적인 승리란 있을 수 없다. 모두가 패자일 뿐이다. 어리석은 증오심과 부질없는 탐욕에 스스로 타서 재가 되고 마는 것이다. 세상의 움직임이란 외형적인 현상만으로 이루어지는 것은 아니다. 인과 관계로 이어지는 연기緣起의 논리를 빌리지 않더라도, 세상의 흐름은 근원적으로 각 개인의 동정과 직결되어 있다. 그러므로 그 세계 안에 살고 있는 개인의 사고방식이나 행동은 곧 그 세계를 형성하게 마련이다.

더구나 영향력을 가진 세계적인 정치가의 동작은 그만큼 큰 반응을 초래한다. 그들이 세계 평화를 위해 노력하고 있는 것은 영화 〈솔저 블루〉를 당사국인 미국에서 만들어 낸 일만큼이나 다행한 일이다.

그러나 근본적인 노력은 그들의 마음에서부터 탐욕과 분노와 무지를 씻어 버리는 일이다. 이기적이고 자기 중심적인 고

정관념에서 벗어나, 함께 살고 있는 이웃에게 자비와 지혜를
베푸는 일이어야 한다.

국제간에 경제적인 균등한 분배 없이는 그 어떠한 평화도
없다. 과거 평화를 깨뜨린 원인들을 상기해 볼 때 절대 다수의
뜻에서가 아니라 소수 지배 계층의 행동 양식이 결정적인 구
실을 했다. 더구나 핵무기가 등장한 현대전의 결과는 어느 쪽
에도 승리란 있을 수 없게 됐다. 인간에게 지혜가 절실히 요구
되고 있는 까닭이 바로 여기에 있다.

평화의 적은 어리석고 옹졸해지기 쉬운 인간의 그 마음에
있다. 또한 평화를 이루는 것도 지혜롭고 너그러운 인간의 그
마음에 달린 것이다. 그래서 평화란 전쟁이 없는 상태이기보
다는 인간의 심성에서 유출되는 자비의 구현이다.

우리는 물고 뜯고 싸우기 위해 태어난 것이 아니다. 서로 의
지해 사랑하기 위해 만난 것이다. 1971

무소유

초판 1쇄 1976년 4월 15일 / 초판 16쇄 1985년 4월 30일
2판 1쇄 1985년 7월 30일 / 2판 63쇄 1999년 8월 5일
3판 1쇄 1999년 9월 5일 / 3판 50쇄 2002년 10월 30일

지은이 법 정
펴낸이 윤형두
펴낸곳 범우사

1966년 8월 3일 등록 제10-39호
서울시 마포구 구수동 21-1호
대표전화 (02)717-2121, FAX(02)717-0429
http://www.bumwoosa.co.kr
E-mail:bumwoosa@chollian.net

값 6,000원
잘못된 책은 바꿔 드립니다.
ISBN 89-08-04131-1